# OLIVIER DORCHAMPS

Olivier Dorchamps est un auteur franco-britannique. Issu d'une famille cosmopolite, il a grandi à Paris et vit à Londres d'où il a choisi d'écrire en français. Il pratique l'humour, l'amitié et la boxe régulièrement. *Ceux que je suis* (Finitude, 2019) est son premier roman.

# CEUX QUE JE SUIS

OLIVIER DORCHAMPS

# CEUX QUE JE SUIS

FINITUDE

Pocket, une marque d'Univers Poche,
est un éditeur qui s'engage pour la préservation
de l'environnement et qui utilise du papier fabriqué
à partir de bois provenant de forêts gérées
de manière responsable.


ISBN 978-2-266-30080-3
Dépôt légal : août 2020

*à mon ami Ramzi J.*

*à tous ceux*
*que l'espoir a guidés sur les routes de l'exil*
*et qui ont vécu de nostalgie*

« Tâchez de garder toujours un morceau de ciel au-dessus de votre vie. »

Marcel Proust,
*Du côté de chez Swann*

# 1

Il a souvent fait ça ; rentrer tard sans prévenir. Oh, il ne buvait pas et ma mère avait confiance, il travaillait. Il travaillait depuis trente ans, sans vacances et souvent sans dimanches. Au début, c'était pour les raisons habituelles : un toit pour sa famille et du pain sur la table, puis après qu'Ali et moi avions quitté la maison, c'était pour ma mère et lui ; pour qu'ils puissent se les payer enfin, ces vacances ! En embauchant Amine pour les tâches lourdes au garage, il avait souri : non seulement il aidait un petit jeune qu'il connaissait depuis toujours, mais en plus il allait pouvoir emmener ma mère au cinéma, au restaurant, à la mer ; la gâter. Et la vie aurait moins le goût de fatigue.

J'avais des scrupules à partir en congés quand je le voyais trimer comme ça. On nous le reproche assez, à nous les enseignants, d'être constamment en vacances. Cet été, j'ai passé un mois et demi de far-*presque*-niente dans l'Algarve, chez des amis. Je dis *presque* parce qu'il y a les cours à préparer d'autant que, cette année, j'ai des Terminales pour la première fois. Capucine m'avait rejoint les deux dernières semaines. Mon père a toujours trouvé extravagant que je passe mes vacances à l'étranger, mais j'en ai besoin pour affronter la rentrée et son troupeau d'ados qui se fichent de l'histoire-géo, comme du reste d'ailleurs. Cette violence étouffée de l'adolescence, je n'ai qu'à fermer les yeux pour me la rappeler : les angoisses, les humiliations, les coups de cœur, de gueule. Les maux de ventre. De toutes ces peurs, celle qui m'a traqué jusqu'à l'agrég et me traque encore parfois, c'est la crainte de décevoir.

Au retour du Portugal, il y a trois jours, j'appréhendais un peu la reprise. Capucine m'a rassuré. *Prof au lycée à vingt-neuf ans, c'est flatteur, tu comprends ? Tu es brillant. Tu as toute la vie devant toi !* J'ai souri et elle a annoncé qu'on se séparait. Elle a dit « on », comme quand elle lançait *et si on allait au cinéma, ce soir ?* ou bien *on devrait se faire un petit week-end à Barcelone* ou encore *on n'est pas allé au resto depuis des semaines.* Puis le sempiternel *on n'est pas fait l'un pour l'autre, tu comprends ?* a guillotiné tout espoir, alors j'ai répondu d'accord. Pas parce que j'avais envie de rompre, mais parce que ses « on » sonnaient comme des « je » et qu'elle avait déjà pris sa décision.

Pendant quatre ans, elle m'a seriné que je devrais faire davantage de sport, que je ne lève pas suffisamment les yeux de mes bouquins, que j'ai trop d'opinions sur tout et à présent elle m'assène que je suis brillant mais qu'elle sera plus heureuse avec un autre, sans doute médiocre. Ça, elle ne l'a pas dit, mais ça m'a fait du bien de le penser. Elle a rencontré quelqu'un, c'est très récent, ça date du début de l'été. Elle est déjà très amoureuse. Il est de Rennes. Elle m'a donné tous les détails, comme à une vieille copine. Un banquier breton qui jongle avec des millions entre Londres et Singapour. Médiocre, comme je disais ! *C'est la vie, tu comprends ?* a-t-elle répété avec un air d'évidence. Pourquoi est-elle venue avec moi au Portugal alors ? Elle ne voulait pas gâcher les billets d'avion. Et puis elle voulait voir si elle pouvait sauver notre couple. Ce coup-ci elle n'a pas dit « on ». Je me suis dit que son banquier lui avait proposé des vacances en Bretagne et qu'elle était venue au Portugal parce que la météo y est moins risquée que dans le Finistère. J'ai souri et elle a pris la mouche. C'est exactement ça qu'elle n'arrive plus à supporter, mes sourires. Elle n'en peut plus de ce bonheur fataliste qui me rend béat. Ça fait quatre ans que je souris sans m'apercevoir qu'elle est malheureuse. *Oui, malheureuse !* Quatre ans que nous nous enfonçons dans cette routine qui la ronge. Il n'y a que moi qui ne m'en rends pas compte, tout le monde le lui a dit. En effet, je ne m'étais pas rendu compte qu'elle me trompait. Depuis combien de temps ? Depuis trois ? Quatre mois ? *Qu'est-ce que ça peut faire ? J'ai besoin de changement, tu comprends ? Du changement !* Et elle est partie.

Mon père nous a toujours dit, à Ali, Foued et moi, de nous méfier des femmes aux noms de fleurs, *elles ont souvent davantage d'épines que de parfum*. Il avait connu une Rose à Casablanca dans sa jeunesse. Il n'en parlait jamais. Le lendemain de ma première déception amoureuse, je lui avais demandé si les chagrins que nous laissent les filles s'estompent avec le temps. Il m'avait simplement répondu *il y a des piqûres qui font souffrir toute la vie. Et même après.*

Il avait désapprouvé mon choix pour les vacances d'été. *C'est cher le Portugal*, avait-il murmuré en dodelinant de la tête ; *mon fils, tu dois apprendre à faire des économies si tu veux des enfants*. Lui, qui a passé sa vie à traquer le moindre sou, ne comprenait pas que notre génération n'épargne pas l'essentiel de son salaire. J'avais beau lui dire que je n'avais aucune envie de fonder une famille, il s'en débarrassait dans un haussement d'épaules. *Si ta mère et moi on aurait le luxe de prendre des vacances, on choisira toujours le Maroc, et toi et tes frères aussi, tu devrais. Tu es français, c'est vrai, mais tu es aussi marocain, mon fils.*

Il avait raison. J'aurais sans doute mieux fait d'aller à Agadir ou Essaouira. Même à Casa, voir la famille. Capucine n'aurait pas pris le risque d'aller en pays musulman, *pas en ce moment, tu comprends ?* Elle aurait passé ses vacances à se geler les os sur la plage de Perros-Guirec avec son amant et c'est moi qui rirais à présent.

Ça l'attristait que mes frères et moi soyons dénués de toute fibre patriotique, envers le Maroc comme envers la France d'ailleurs ; paradoxe d'une intégration réussie sans doute. Nous sommes français, nés ici et peu de Français ont l'âme patriote de nos jours. Ou ils le cachent pour ne pas se faire traiter de fascistes. *Tu ne peux pas dire ça si tu es de gauche, tu comprends ?* répétait Capucine quand je parlais ainsi. Et les communistes résistants, ils n'étaient pas patriotes quand la Milice les fusillait ? *Ça n'a rien à voir, on n'est plus de gauche de la même manière aujourd'hui. C'est pourtant pas difficile à comprendre.*

Le Maroc, c'est un pays dont j'ai hérité un nom que je passe ma vie à épeler depuis l'école – *pourquoi Ali a-t-il eu le nom facile, lui ?* – et un bronzage permanent qui supporte mal l'hiver à Paris, surtout quand il s'agissait de trouver un petit boulot pour payer mes études. Nos parents ne nous ont jamais vraiment parlé arabe, même si à force de les entendre, on le comprend, ni emmenés à la mosquée. Mon père n'est retourné au pays qu'une huitaine de fois depuis qu'il a immigré en France. Huit fois ! En trente ans ! L'argent servait à nous y envoyer nous, mes frères et moi, et surtout à faire de nous des petits Français ici. Quand on allait en vacances chez Mi Lalla, notre grand-mère, on baragouinait un peu le marocain parce qu'elle ne parle presque pas le français, à part les chiffres. Mais presque pas, c'est déjà un peu, et là-bas les grands-mères font davantage la cuisine que la conversation, alors je peux prononcer tous les plats marocains en arabe sans accent et Mi Lalla compte parfaitement jusqu'à cent en français.

Bien entendu, j'ai appris le pays de mes parents dans les livres. Je connais tout de son histoire, sa géographie, ses spécificités ; le Protectorat, l'Indépendance, Mohammed V, Hassan II, Mohammed VI, jusqu'à mon sujet d'agrég qui portait sur la transition énergétique au Maroc. Tout ce qu'on peut trouver dans une bibliothèque, je l'ai lu. Mais la vie de ma famille avant la France, je ne la connais qu'au travers d'anecdotes et de souvenirs de seconde main, un peu comme une veste d'occasion dont la coupe m'irait tant bien que mal, mais dont la couleur aurait fané.

À dix-neuf ans j'ai lu le Coran. En français. Je ne sais pas pourquoi. Pour le lire. Pour voir si j'étais vraiment aussi différent des autres qu'on se tuait à me le répéter. Ali, lui, castagnait ceux qui le traitaient d'Arabe. Mon père disait qu'on ne casse pas la gueule aux ignorants, que la vie s'en chargerait un jour, et qu'il n'y avait pas de honte à être arabe, au contraire. On a donné plein de mots aux Gaulois : les abricots, les artichauts, les aubergines. Toujours la bouffe. Les Marocains sont bien comme les Français pour ça. Pourtant il ne nous a jamais raconté nos racines. Ma mère et lui espéraient sans doute que nous deviendrions des Français modèles, que nous prendrions moins de coups qu'eux. Eux, qui étaient arrivés de là-bas.

La seule chose à laquelle ils restaient attachés, c'était l'Aïd-el-Kebir. On le célébrait avec des voisins, car un agneau entier coûtait trop cher pour ce que gagnait mon père. Ces voisins, devenus peu à peu des amis, mes parents ne les auraient sans doute jamais fréquentés s'ils les avaient connus à Casa, mais du mal du pays germe souvent des amitiés insoupçonnées et au bout de quelques années, c'était comme la famille. Un soir par an, ils revivaient tous ensemble leur Maroc dans la joie et se quittaient en se persuadant les uns les autres qu'ils en avaient de la chance, de vivre en France. À nous, les gosses, l'Aïd paraissait bien sanglant par rapport aux fêtes françaises ; celles que Sainte Laïcité a transformées en desserts – la galette des Rois, les crêpes de la Chandeleur, les œufs de Pâques, la bûche de Noël. Avec un régime pareil, comment aurions-nous pu nous sentir marocains ? La gourmandise est le plus grand des baptiseurs.

Ça faisait sourire mon père quand je parlais comme ça, et il dodelinait de la tête sans rien dire. Un jour je lui avais demandé pourquoi il ne prenait pas le temps de nous transmettre son Maroc ; nous qui sommes arabes ici et français là-bas. Pourquoi ne jamais nous avoir emmenés à la mosquée par exemple ? *Tu nous reproches de vous avoir élevés moderne ? Va à la mosquée ! Prends ton tapis et fais ta prière si tu veux, mais Dieu il est là, dans ton cœur, mon fils.* Et il se servait une bière dans le frigo. *Un jour tu comprendras. Être un homme, c'est autre chose*, lançait-il depuis la cuisine. Autre chose qu'il n'a jamais partagée, autre chose que ce que tout le monde croit, autre chose que sans doute seul mon père comprenait, mais il n'a jamais pris la peine de nous y initier, jamais pris la peine de nous le faire aimer. *L'a pas les mots*, disait ma mère, *un mécanicien c'est comme ça, Marwan, ça a pas les mots.*

Hier soir il est rentré du garage, tard comme d'habitude. Il s'est plaint de douleurs dans la poitrine. Il a dit à ma mère que son cœur était comme pris dans un étau. Elle lui a demandé s'il avait soulevé quelque chose de lourd, Amine pourrait l'aider, *l'est quand même là pour ça.* Il a haussé les épaules en disant que c'était rien, qu'il avait juste besoin de repos. Il a fait le thé à la menthe pour eux deux, puis est allé se coucher dans la petite chambre pour ne pas la réveiller s'il était malade pendant la nuit. Sans dîner ? Mais elle a préparé le tajine, elle peut le passer au micro-ondes s'il veut. C'est pour ça qu'elle m'a appelé.

— Parce qu'en trente ans de mariage, Marwan, ton père, l'a jamais refusé mon tajine aux olives.

— Et Foued ?

— Foued ton frère non plus. Tout le monde il aime mon tajine aux olives !

— Non, Foued n'est pas là ?

— L'est chez Samira ce soir.

Je lui ai dit que j'étais fatigué. En réalité je n'avais pas envie d'épiloguer toute la soirée sur ma rupture avec Capucine.

— Fatigué des vacances, alors que ton père l'est mourant ?

— Il n'est pas mourant, Maman. Prenez rendez-vous avec le Dr Delorme demain matin, il a dû se froisser un muscle. J'enverrai un SMS à Amine pour lui demander de faire attention à Papa au garage et de ne pas le laisser porter trop de choses lourdes.

J'ai éteint mon téléphone et je suis allé me coucher. Je ne voulais plus de coups de fil, plus de messages, plus de problèmes. Plus de famille.

Quand je l'ai rallumé, tôt ce matin, il s'est mis à vibrer dans tous les sens. Puis j'ai reçu trois SMS de Foued.

> Papa est mort
> Cette nuit
> Viens !

Il avait cinquante-quatre ans.

# 2

Je sonne toujours à l'interphone en bas, même si j'ai la clef. C'est mieux de prévenir. Aujourd'hui, je passe le badge devant la porte cochère qui fait *clic* et s'entrebâille sans se presser. Je lui file un coup de pied et me précipite dans l'entrée de l'immeuble. Je suis parti de chez moi en courant après avoir lu les messages de Foued ; juste enfilé mon jean et mon t-shirt de la veille qui traînaient au pied du lit. Pas de douche, pas de café. Ma tête bourdonne, je n'ai qu'une pensée à l'esprit : *Papa est mort !* Je me suis jeté dans la rue. Aveuglé par la brûlure du jour, je suis resté interdit sur le trottoir. Plusieurs secondes. Sans me souvenir s'il fallait prendre à droite ou à gauche. Le monde se jouait au ralenti. On distinguait à peine le contour des immeubles, des arbres et des hommes, étirés en longues ombres mouvantes par le soleil du matin. La ville ouvrait les yeux. Les miens piquaient. Rouges. Le camion poubelle broyait les déchets du quartier dans un bruit sourd et une odeur de pourriture. Puis ça m'est revenu tout à coup, comme une claque du ciel, *tu vois, tu aurais dû y aller hier soir, quand ta mère a téléphoné*. Et je me suis mis à courir.

Je n'habite pas très loin mais, même en courant, il y en a pour un bon quart d'heure, d'autant que je ne cours jamais. Je devrais. Comme le rabâchait souvent Capucine, *ça serait bon pour ta ligne, tu comprends ?* Je m'agrippe à la poignée de la porte d'entrée pour reprendre mon souffle en attendant l'ascenseur. Aujourd'hui je me fous de mes kilos en trop, je me fous de Capucine, je ne pense qu'à Maman qui l'a trouvé au réveil, sans vie. Et à Foued. Mon pauvre petit frère, qui s'est pris le premier la gifle du destin.

Je me rue hors de l'ascenseur et remonte le long couloir qui mène chez mes parents en courant. Quelqu'un est assis devant la porte de l'appartement. Madame Al Assadi ? Madame Al Assadi fait partie des amis de l'Aïd dont je parlais tout à l'heure, ceux que mes parents n'auraient sans doute pas choisis s'ils étaient restés à Casa. Au fur et à mesure des années elle est devenue comme une tante pour nous. Elle habite deux étages plus bas. Son mari, Khalid, est mort dans un accident en Pologne il y a quatre ans. Il était camionneur. Elle est postée dans le couloir, sur une chaise pliante, un sac Monoprix rempli de paquets de Kleenex et de dattes fraîches à ses pieds. Je lui dis bonjour, entre deux respirations haletantes. Elle me répond en arabe.

— *Essalam Alaykoum*, Madame Al Assadi.

— *Wa Alaykoum Essalam*, Marwan. C'est un grand malheur.

— Qu'est-ce que vous faites là, Madame Al Assadi ?

— Je suis venue pour alléger la douleur de ta mère, comme elle l'a fait pour moi quand Khalid est parti. L'amitié ce n'est pas que pour les rires de l'Aïd.

— Mais qui vous a prévenue ?

— Amine.

— Amine ?

— Enfin Aïcha.

— Aïcha ?

— Sa copine. C'est la nièce du mari de ma cousine, celle de Chefchaouen qui habite à Lyon et dont le fils est journaliste. Il connaît du monde à la télé. C'est un très grand malheur.

Je reste debout, bras ballants, à me demander combien de gens de l'immeuble sont déjà au courant. De l'immeuble, de Lyon, de Chefchaouen et de la télé, parce que le téléphone arabe, ce n'est pas qu'une expression. Foued m'a dit qu'il a prévenu Amine car il travaille pour mon père. Et puis Amine, c'est presque un membre de la famille. Mon grand-père et le sien, Kabic, ont grandi ensemble à Casa. Madame Al Assadi aussi, elle est pratiquement de la famille. En fait, ça me touche qu'elle soit déjà là, sur sa chaise en toile, prête à endosser une part de notre douleur.

— Vous voulez entrer ?

— Non, je reste ici. Mais toi, va, va. Ta mère, elle a besoin de toi. Moi, c'est pour après. Comme quand mon Khalid il est mort. Ta mère, elle comprendra, dit-elle en me tendant un paquet de Kleenex et un sachet de dattes.

La porte de l'appartement s'ouvre. Foued a les yeux bouffis et me sourit de chagrin. *Je me demandais ce que tu faisais*, murmure-t-il, puis en voyant Madame

Al Assadi, *Madame Al Assadi, entrez !* Elle mime *non* de la tête et soulage sa peine dans un Kleenex. Foued se décale pour me laisser passer puis referme la porte.

— Qu'est-ce qu'elle fait là ?

— L'amitié.

Foued hoche la tête, me débarrasse des dattes et enfonce le paquet de Kleenex dans sa poche. Il vit ici avec mes parents, le temps de finir sa fac.

— Maman tient le coup ?

— Les larmes se sont taries, me confie-t-il, alors elle pleure dans son cœur.

— Et toi ?

— Moi ? Je…

Il se tait. Une bouffée de tristesse lui voile la voix et entre deux hoquets il se reproche de ne pas avoir été à la maison hier soir. Je le prends dans mes bras sans répondre ; moi aussi je m'en veux.

Nous restons enlacés ainsi plusieurs minutes, jusqu'à ce que nos respirations reviennent à la normale. J'ôte ma veste et l'accroche près de la petite table où trône normalement leur photo de mariage. Une photo on ne peut plus kitch dans un cadre on ne peut plus moche qu'un oncle a fait faire dans le sud du pays. Mon cœur se pince de ne pas la trouver à sa place. Les choses laides aussi finissent par manquer quand elles sont imprégnées d'habitude.

Foued pousse la porte du salon et j'entre derrière lui. L'écran noir de la télévision, en principe allumé vingt-quatre heures sur vingt-quatre, domine la pièce dans un silence pesant.

Figée sur le divan, un coussin en kilim rouge calé dans le dos et la couverture berbère sur les genoux, Maman dilue son regard dans une boîte à chaussures qui déborde de vieux Polaroid. Elle porte déjà la couleur du deuil ; une robe de coton blanc qui jusqu'aujourd'hui avait des airs de fête. Leur photo de mariage repose sur la table basse devant elle. Je veux crier *mais qu'est-ce qui s'est passé ?* Mais je sais ce qui s'est passé. Je le sais depuis que Maman m'a appelé hier soir en me demandant de venir.

Je dis bonjour à Ali. Accoudé à la fenêtre, il observe la vie, dans la rue. Il grommelle *'jour* sans tourner la tête. Je m'agenouille devant Maman pour la prendre dans mes bras. Elle s'agrippe à mon cou et m'embrasse cinq fois de suite sans me lâcher. Et encore une fois après ça. Je sens monter les larmes ; les miennes. *Ça va aller Maman, ça va aller. Où est-il ?* Elle continue de me serrer en sanglotant, *wouldi, wouldi, mon fils.* Je m'extirpe de sa douleur avant qu'elle ne me contamine. *Il est dans la petite chambre*, dit Foued, *j'ai pas le courage d'y aller.*

— Maman, chuchote Foued doucement, Madame Al Assadi est sur le palier, on voulait la faire entrer mais elle veut pas.

— Farida ? Je m'doutais, dit Maman. C'est une amie. D'abord la famille, ensuite les amis.

— Je vais faire du thé, qu'au moins elle ait quelque chose à boire, dis-je en me dirigeant vers la cuisine.

— Tiens, elle a donné des dattes à Marwan, dit Foued en les fourrant entre les mains de Maman.

C'est moi qui leur ai offert une bouilloire électrique l'année dernière pour Noël. Chez nous on fête Noël, le sapin en plastique, les guirlandes qui clignotent, tout ça. On s'offre des cadeaux qu'on déballe avec soin, sans déchirer les papiers car Maman les garde précieusement d'un Noël sur l'autre dans un rituel païen. Les bonnes années, on mange du foie gras et du saumon fumé. On boit du champagne aussi. Maman s'en met derrière les oreilles en riant ; *c'est du bonheur pour toute l'année !* Elle a vu ça à la télé dans une série américaine. Il n'y a qu'à la messe de Minuit qu'on ne va pas. Comme beaucoup de Français.

La théière sèche sur l'égouttoir près de l'évier. En la saisissant par l'anse, je réalise que j'efface les empreintes de mon père. C'est sans doute le dernier objet qu'il a touché. Je me le reproche. Je songe à Maman, seule désormais. Seule comme Madame Al Assadi. Sans homme pour la complimenter sur son tajine, lui faire le thé, la faire rire. Sans homme avec qui revivre sa jeunesse quand elle sera vieille. La mort de mon père, c'est aussi la fin de trente années de quotidien pour ma mère. Je m'effondre en pleurs au-dessus de l'évier. Non, je ne peux pas. Je dois garder la tête froide. Mais les larmes coulent sans se soucier de ce que leur dicte ma pensée. J'attrape un torchon et les essuie tant bien que mal. *Ce soir. Tu pleureras ce soir, Marwan, chez toi.*

Je prends une grande inspiration en m'appuyant sur le rebord de la table de la cuisine. Ma main tremble. Je mets un sachet de thé vert dans la théière et verse un peu d'eau bouillante que je jette ensuite dans l'évier, après une minute, comme mon père nous l'a enseigné.

J'entends sa voix, *le thé, c'est une affaire d'hommes*. Puis j'ouvre le réfrigérateur pour y prendre la menthe et aperçois le reste de tajine dont il n'a pas voulu hier soir. Je m'empresse de le jeter à la poubelle. Il ne faut pas que ma mère le trouve. Je frissonne au froissement du papier d'aluminium tout ridé qui contient la menthe fraîche. Hier les mains de mon père, les miennes aujourd'hui. La bouilloire, la théière, la menthe, le sucre, les petits verres ciselés, il les a tous touchés hier soir.

— C'est toi qui vas t'en charger, maintenant, c'est ça ?

Ali se tient debout dans l'encadrement de la porte, les yeux secs, le reproche dans la voix.

— Moi, toi, Foued, c'est pareil. Passe-moi plutôt le plateau !

Il va chercher le plateau berbère en laiton que mon père range soigneusement après chaque utilisation. C'est un plateau à la décoration chargée. Pas le genre d'Ali, dont l'appartement se donne des airs de Copenhague ; truffé de meubles hors de prix avec une lampe Ikea au milieu pour rappeler qu'on sait aussi rester simple. Sa main tremble en le saisissant. Il a une hésitation. Peut-être se dit-il aussi que Papa l'a touché hier soir.

— On se demande comment il pouvait être attaché à de telles horreurs !

— Ça lui rappelait son pays.

— On dirait un souvenir *cheap* du souk. Tu peux le garder en tout cas, j'en veux pas chez moi, lance Ali.

— C'était sûrement ça pour lui, un précieux souvenir du pays.

Ali hausse les épaules. Je lui demande quand Bérangère arrivera. Bérangère, c'est sa femme. Sans doute la personne la plus douce que je connaisse. Son amour pour mon frère reste un mystère.

— Elle viendra tout à l'heure. Elle doit déposer Gabriel à la crèche. Et puis elle s'est dit que Maman aimerait que l'on soit tous les trois réunis autour d'elle. Et Capucine ?

— Elle est chez elle.

— Marwan ?

— Oui.

— Maman m'a dit qu'elle t'avait appelé hier soir quand Papa a refusé le tajine aux olives.

— Oui.

— Pourquoi t'es pas venu voir si tout allait bien ?

— J'étais fatigué, Ali. Je ne me doutais pas, évidemment…

— Fatigué après six semaines au Portugal ?

— Écoute, Ali, tu crois que je ne me suis pas posé la question toute la matinée ? Que ça ne va pas me torturer encore longtemps ?

Il jette le plateau sur la table en formica, ne répond rien, sort.

Le silence continue de peser dans le salon. On se passe les photos sans vraiment les regarder. Entre deux soupirs, Maman demande doucement ce qu'elle va devenir. Son ton est davantage à l'inquiétude qu'à l'apitoiement. Foued est assis près d'elle, au creux du divan. Je verse le thé, comme mon père le ferait. Le faisait. D'abord Maman, puis Foued qui me frôle le poignet avec affection. Ali ne veut pas de thé. Je lui approche un verre *s'il te plaît, on se disputera une autre fois*. Il baisse la tête et accepte. Foued va offrir son thé à Madame Al Assadi. L'écho étouffé des remerciements de l'amie fidèle résonne jusqu'au salon. À son retour, il se verse lui-même une autre tasse.

— Je m'en veux d'avoir été chez Samira hier soir, murmure-t-il tout à coup.

— Faut pas, dit Maman. Vous non plus, Ali et Marwan, mes fils, faut pas s'en vouloir de pas être venus quand je vous ai appelés, la vie c'est comme ça. Parce que moi non plus, quand votre père m'a dit qu'il voulait dormir dans la petite chambre, moi non plus j'ai pas pensé que c'était sérieux. La vie c'est comme ça.

Je lance un regard à Ali, qui n'ose pas le soutenir. Maman l'a aussi appelé hier soir. Sans doute en premier ! Et il n'est pas venu voir ce qu'il en était ! Je comprends mieux son reproche de tout à l'heure. Ça fait vingt-neuf ans que je connais son caractère, pourtant à chaque fois il me surprend un peu davantage. Il s'en veut, au même titre que nous, mais refuse de l'admettre. Foued et moi, au moins, reconnaissons que nous sommes de mauvais fils ! Mais pas Ali ! Jamais Ali !

Plus jeunes, nous nous bagarrions souvent. Tous les garçons se castagnent, c'est dans l'ordre des choses, mais chez nous, peut-être parce que nous étions jumeaux, l'enjeu était d'imposer à l'autre un droit d'aînesse que notre naissance n'avait pas tranché. Cela n'excluait nullement notre complicité. Nos chamailleries étaient dénuées de rancune, pareilles à celles des lionceaux qui découvrent la fraternité en se mordillant les oreilles. Un jour, alors que nous avions huit ou neuf ans, Ali m'a traité de bâtard, un mot qu'il avait entendu dans la cour de récré et dont il ne connaissait pas le sens. Le soir, j'ai demandé à mon père de m'expliquer ce que c'était, un bâtard. Il a voulu savoir où j'avais appris ce mot et j'ai pointé Ali du doigt. Notre père lui est tombé dessus avec une force qu'aucun d'entre nous, pas même ma mère, ne soupçonnait et la joue d'Ali a porté l'empreinte de sa colère pendant plusieurs jours. Je me sentais très coupable et voulais clamer l'innocence de mon frère. Ali s'était enfermé dans notre chambre et refusait de me laisser entrer. Ma mère avait retranché mon père jusque dans la leur afin qu'il se calme. Je les ai aperçus par la porte entrebâillée ; lui, assis sur le lit, la tête dans le ventre de ma mère, sanglotait et hoquetait comme un enfant pour reprendre sa respiration. C'est la seule fois que j'ai vu mon père pleurer, et ce jour-là, le roc sur lequel reposait toute mon enfance s'est effrité. Je n'en ai jamais parlé à personne, ni à mes frères, ni à ma mère. Ni à lui.

Capucine m'a questionné un jour sur l'animosité qu'Ali me porte. J'ai hésité à lui raconter cette histoire mais, par respect pour les larmes de mon père, j'ai éludé la question en haussant les épaules. L'injustice de cette journée n'a jamais quitté Ali et j'ai souvent pensé que c'était la raison pour laquelle il était devenu avocat, pour défendre l'innocent que mon père avait sommairement condamné ce jour-là. Notre fraternité s'est étiolée. J'ai déposé les armes du droit d'aînesse en espérant retrouver notre complicité, mais la rancœur dont, malgré moi, j'étais devenu l'objet, s'était logée au creux de l'âme de mon frère.

Je m'assois sur le divan entre ma mère et Foued qui me caresse le dos. Ali ne quitte pas son fauteuil.

— Ça va, Maman ?

— Ça va, ça va, *wouldi*…

— Le Dr Delorme est venu ? Qu'est-ce qu'il a dit ?

— Que c'était allé très vite. On n'aurait rien pu faire. Il a dit que votre père, il a pas souffert. Il s'est endormi et puis c'était fini.

— Pourquoi lui ?

— On choisit pas, Foued mon fils, on choisit pas. C'est le destin.

Je prends la main de Maman. *Je peux le voir ?* Elle pose ses yeux dans mes yeux avec le sourire triste de la résignation, *il t'attend, wouldi*, puis elle ferme les paupières en crispant sa main dans la mienne.

Une larme s'écrase sur la robe de coton blanc.

# 3

La tiédeur du matin filtre au travers de la bande étroite entre les rideaux et lui raye le visage.

Il est allongé sur le lit, comme le dimanche quand nous étions petits et que le Dieu d'ici l'autorisait à faire la grasse matinée. Il n'était pas rare qu'il se rende quand même au garage de bonne heure, *les voitures ne choisissent pas leur jour pour tomber en panne, mon fils*, mais parfois la veille au soir, quand la semaine avait été bonne, il me donnait vingt francs pour les croissants. *Et toi, tu pourras en prendre deux*, disait-il avec le doigt en l'air. Ali était fou de jalousie.

Maintes fois je l'avais supplié d'offrir son tour à mon jumeau ; *il pourra prendre deux croissants à ma place, moi aussi j'aimerais bien faire la grasse matinée le dimanche !* C'était surtout parce qu'Ali me faisait payer ce privilège, comme il disait, pendant toute la journée qui s'ensuivait. Mon père répondait, à son habitude, en dodelinant de la tête, *mon fils, mon fils, ton frère, il fait des autres choses, le responsable des croissants, c'est toi.* Je le détestais à voix basse de me tirer du lit, mais une fois avalé mon deuxième croissant devant un Ali enragé, je finissais toujours par pardonner à mon père.

Souvent je me suis demandé si mes quinze kilos de trop n'étaient pas dus à ces doubles rations de viennoiseries dominicales et je l'ai souvent maudit. Pourtant, ce matin, debout devant son lit, je regrette qu'on ne soit pas dimanche.

*Papa ?* Je ne sais pas pourquoi je m'adresse à lui. Peut-être pour me convaincre qu'il ne répondra plus.

Son corps est là, mais mon père, lui, est parti. Il ne parlera plus, ne rira plus, ne nous grondera plus, ne haussera plus les épaules, ne dodelinera plus de la tête en murmurant *wouldi, mon fils*. Il ne me donnera plus jamais vingt francs pour les croissants du dimanche.

Bientôt, son souvenir s'évanouira en milliers de moments accrochés à nos mémoires et glissera dans l'oubli ; quelques photos que ses petits-enfants regarderont en demandant *c'est qui ?*, deux ou trois anecdotes que ma mère ressassera aux réunions de famille, et un vide en nous qui, peut-être, s'atténuera un jour. On évoquera de moins en moins son nom. Puis plus du tout. Le garage de la rue de Paris trouvera un repreneur qui gardera sans doute l'enseigne. Les questions que j'ai toujours voulu lui poser resteront à jamais en suspens et, lorsque ce sera mon tour de partir, elles me hanteront encore.

J'allume la lampe de chevet, tire une chaise et m'installe près de lui. *Qu'est-ce qui t'a pris de nous quitter comme ça ? Au moment où la vie que vous êtes venus chercher ici devenait possible ! Ali et moi, on est casés, Foued, il ne lui reste qu'un an à la fac et après vous auriez été libres. Et Maman ? Tu y as pensé, à Maman ? Ce ne sont pas ses gardes d'enfants qui vont lui permettre de survivre ! Elle va devenir quoi ? Hein ? Je ne sais même pas si les services sociaux pourront l'aider, lui trouver un petit HLM, pas trop loin d'ici, près de nous. Ali doit savoir. Les avocats savent ces trucs-là.*

La porte grince. Depuis vingt ans mon père promet d'en huiler les gonds. Foued passe la tête ; *j'peux entrer ?* Il s'approche de la fenêtre et clôt soigneusement les rideaux. Le jour s'efface et le visage de mon père s'assombrit. Foued s'agenouille à mes côtés. L'obscurité dissimule pudiquement sa tristesse. Il me prend la main, la pose sur celle de notre père, puis glisse la sienne entre les deux. Oh, mon pauvre petit frère ! Ce sont mes larmes que masque à présent le noir. Je ne les retiens plus et mon corps fait écho aux spasmes de Foued. Son chagrin remplit le vide, et me brise l'âme. Il se fracasse contre les murs de la petite chambre, elle qui n'enfermait jusqu'à présent que nos rires d'enfants. Je le calme de mots et de caresses. Il tousse en reniflant sa peine.

Une mouche tourbillonne dans la lueur froide de la lampe de chevet, se brûle obstinément les pattes sur l'ampoule et fait part de son énervement dans une série de bruissements d'ailes. Elle se pose sur la main de mon père, se frotte les yeux de ses pattes antérieures, surprise qu'on ne la chasse pas, puis se promène le long des doigts aux ongles noircis par trente années de cambouis. Elle s'arrête un instant sur l'alliance en or qui n'a jamais quitté sa place, intriguée par le métal froid, puis s'envole de nouveau vers la lumière. Cette fois l'ampoule ne la laisse pas s'échapper. Un ultime bourdonnement et elle se désagrège, foudroyée, dans un éclair de fumée grise.

# 4

Nous sortons de la chambre. Le grincement des gonds fait sursauter Maman qui n'a pas quitté son divan et répète la même question sans discontinuer. *Qu'est-ce qu'j'vais d'venir ? Qu'est-ce qu'j'vais d'venir ?* Calé dans le fauteuil en face d'elle, Ali consulte son téléphone en prenant des notes dans un carnet.

— Il faut faire la déclaration de décès dans les vingt-quatre heures à la mairie. Le médecin a délivré un certificat de décès ? Maman ? Le Dr Delorme t'a laissé un papier, non ?

— Hein ? Quoi ? Un papier ? Oui, oui. L'a laissé un papier ce matin, murmure Maman.

— Et il est où ? lance Ali.

— Ah ? Où. Je sais pas, Ali. Je sais pas.

— Foued, tu peux regarder si tu le trouves, s'il te plaît ? s'agace Ali.

— L'a posé quelqu'chose sur l'meuble d'l'entrée, murmure de nouveau Maman.

Foued apporte le document, le tend à Ali puis retourne se réfugier sur le divan près de Maman qui l'embrasse sur le front. Ali parcourt le certificat rapidement du regard.

— Bon. Il faut aussi une pièce d'identité.

— Son passeport ?

— Son passeport ou sa carte de séjour, reprend Ali.

— Où est-ce que Papa le garde, Maman ? demande Foued en lui prenant la main.

— Sais pas. Sais pas. C'est vot'père qui s'occupait d'tout ça. Comment j'vais faire maintenant ?

— Je suis là, Maman. Et Marwan et Ali aussi. Et Bérangère. Et Capucine. Et Samira, tu l'aimes bien, Samira ?

— Oui, j'l'aime bien, S'mira.

— Elle m'a dit qu'elle viendrait tout à l'heure.

— Ah, c'est bien, Foued mon fils. L'est gentille avec toi, S'mira ? Et Capucine, Marwan. L'travaille aujourd'hui, Capucine ?

— Où est sa pièce d'identité ? s'impatiente Ali, me permettant ainsi d'esquiver la question au sujet de Capucine.

— Son passeport marocain ? répond Maman.

— Le passeport ou la carte de séjour. Ça n'a pas d'importance, c'est juste pour la mairie, dit Ali.

— Si, ç'aura d'l'importance, murmure Maman en se levant. J'vais r'garder.

Mon père ne s'était jamais fait naturaliser alors que Maman et nous avons tous un passeport français. Il disait qu'à la douane, que ce soit à Paris ou à Casa, il serait toujours un Marocain en exil, jamais un Français en vacances, *alors à quoi bon ?* Maman nous abandonne pour se rendre dans la petite chambre dans un grincement de porte. Nous restons silencieux.

Ali continue de prendre des notes dans son carnet sans desserrer les dents.

Je m'installe à la place de Maman et cale la boîte de photos entre Foued et moi. Il y a là des bébés, beaucoup de bébés. Ils se ressemblent tous. Deux constamment photographiés ensemble, Ali et moi, et un troisième tout seul. Mes parents avaient attendu neuf ans avant de nous donner un petit frère. Je savais qu'ils n'avaient pas d'argent, et un enfant, c'est cher, même si mon père répétait que les jumeaux, ça n'a besoin de personne. Quand Foued est né, je me suis rendu compte que mon père avait tort ; j'avais besoin d'un frère. Un jumeau, ce n'était pas suffisant.

On sonne à l'interphone. *C'est Bérangère*, marmonne Ali, *elle vient de m'envoyer un texto*. Foued va lui ouvrir et je retourne faire du thé à la cuisine. J'ajoute simplement quelques feuilles de menthe et de l'eau chaude. Pas de sucre car Bérangère trouve notre thé trop douceâtre. J'entends Foued murmurer *bonjour*, puis plus rien. Pas un mot. Je les distingue par la porte entrebâillée. Bérangère le serre dans ses bras en silence. Une larme, accrochée à ses lèvres, se dépose sur la joue de Foued lorsqu'elle l'embrasse. Elle m'aperçoit. Les mains tendues, elle s'approche et m'enlace à mon tour. *Il va me manquer, votre père, tu sais*. Ses mots me saisissent d'un coup. Je n'y avais pas pensé, mais elle a raison. Il va me manquer, mon père. On m'a enlevé une partie de moi-même, une partie que je ne retrouverai jamais. Il n'est plus là. Il ne reste que l'absence. Et désormais nos vies passeront sans lui. Finalement grandir, c'est ça ; c'est perdre des morceaux de soi.

Foued me prend dans ses bras à son tour, pour me montrer que lui aussi peut être un roc. Bérangère distribue des Kleenex et en garde un ; *c'est Madame Al Assadi qui me les a donnés*. Elle se tapote les yeux et la bouche, maculant de maquillage le mouchoir, puis pose son sachet de dattes sur la table basse en entrant dans le salon. Ali est resté assis. Elle se penche et l'embrasse. *J'ai déposé Jibril à la crèche, je ne lui ai rien dit*. C'est la seule de la famille qui appelle Gabriel par son nom arabe. Un jour je lui avais demandé pourquoi et elle m'avait répondu *c'est important le lien avec le Maroc*. Elle demande où se trouve... *Dans la petite chambre*. Ma mère apparaît soudain dans la plainte grippée des gonds, blême, un passeport vert à la main.

Bérangère se précipite dans ses bras. Elles embrassent leurs chagrins dans une série d'étreintes, sans échanger une parole. Les femmes savent se dispenser de mots. Les larmes, que Foued pensait taries, mouillent de nouveau les pommettes de ma mère. Bérangère les lui essuie de son Kleenex imprégné de fond de teint. Le maquillage redonne un peu de vie au visage de Maman.

Elle pose le passeport de mon père, sa carte de séjour et une enveloppe sur la table, près de leur photo de mariage.

— L'carte d'séjour c'est pour la déclaration à la mairie. L'pass'port marocain, mes fils, z'allez en avoir besoin pour l'enterrement.

— Pourquoi ? demande Foued. On n'a pas besoin de passeport pour entrer au cimetière.

— Au cimetière non, mais au Maroc oui. Votre père souhaite être enterré au pays.

Nous restons tous interloqués.

— Quoi ? s'écrie Ali, il veut se faire enterrer au Maroc ? Mais depuis quand ? Ça n'a aucun sens ! On vit tous en France !

Je ne prononce pas un mot mais je suis d'accord avec Ali.

— Et pourquoi Papa ne veut pas rester près de nous ? s'emporte Foued.

Maman explique que mon père et elle en ont souvent discuté ; pour eux c'est naturel d'être inhumés au Maroc. Ils sont nés là-bas. Ils ont toujours eu l'intention d'y retourner vieillir ; c'était leur projet. Maintenant il n'y a plus de projet. Maintenant elle est veuve et son devoir, c'est de respecter ce que son mari voulait. Elle éclate en sanglots. *Qu'est-ce qu'j'vais d'venir sans lui ?*

— Ce n'est pas parce qu'il voulait que tu dois accepter, dit Ali, ce sont les vivants qui comptent ! Comment tu vas faire pour aller sur sa tombe s'il est à Casa ? Toi aussi tu veux nous planter et rentrer au Maroc ? Et puis tu as envie, toi, que Papa soit trimbalé comme ça, dans la soute à bagages ?

— Z'ont l'habitude, vous savez bien, répond Maman.

— On sait pour les autres, mais pas pour vous ! Nous sommes tous nés ici. Fallait y penser avant d'immigrer ! C'est quoi ces conneries ? Vous avez un petit-fils ici quand même ! s'énerve Ali.

— On vit ici, on meurt chez nous, murmure Maman.

Elle me tend l'enveloppe qu'elle vient d'apporter. Je l'ouvre. L'en-tête déclame en lettres majuscules :

ASSURANCE DÉCÈS
ET RAPATRIEMENT DU CORPS

Nous prenons en charge toute l'organisation qui consiste à rapatrier le défunt du lieu de décès jusqu'au lieu d'inhumation.

Les soins de préparation et les aménagements spécifiques au transport.

L'organisation et les frais de transport aller-retour d'un accompagnant désigné par l'assuré pour assister aux obsèques.

Une assistance pour les frais funéraires (cercueil...).

Sur simple appel téléphonique 7 jours sur 7, nous prenons tout en charge du choix de la sépulture au règlement de la succession selon la formule souhaitée.

*Selon la formule souhaitée ? On n'est pas chez McDo !* s'exclame Foued. C'est vrai que le terme est mal choisi, mais qu'est-ce que ça veut dire ? L'organisation du transport aller-retour d'un accompagnant désigné par l'assuré ? Un seul d'entre nous seulement pourra se rendre à l'enterrement ? *De toute façon, les femmes n'assistent pas à la mise en terre,* dit Maman en arabe. Elle restera chez la tante Imane à Casablanca et elles iront toutes ensemble au cimetière le lendemain de l'inhumation. Maman, Mi Lalla ma grand-mère, Fatima, Saïda et Imane, les sœurs de mon père, et les cousines. Un seul d'entre nous prendra l'avion. Celui que mon père a désigné. *Moi j'descendrai en voiture avec les deux autres*, dit Maman.

Tout le monde se tait.

*Eh bien, téléphone !* lance Foued tout à coup. Je compose le numéro qui figure sur le document, une voix décroche. *C'est pour vous signaler un décès*. *J'me doute*, répond la voix. Pas *désolée*, pas *condoléances*, juste *j'me doute*. *Vous avez le numéro de la police d'assurance ?* Je marque un léger silence. Pour le reste du monde, mon père est devenu un numéro. La voix m'explique ce que nous avons à faire : *juste déclarer le décès à l'administration, on se charge du reste.*

— Et l'accompagnant désigné ?

— Ah oui, l'accompagnant désigné par le défunt, attendez voir, il s'agit de Monsieur Marwan Mansouri. C'est vous ?

# 5

Il avait tout prévu. La colère d'Ali contre mon père est un peu retombée mais il n'a pas bougé de son fauteuil, comme quand nous étions gosses et qu'il boudait. Bérangère regarde par la fenêtre, je sens bien qu'elle n'a aucune envie d'être ici. Foued fronce les sourcils, il ne comprend pas. C'est celui qui a le moins connu mon père, celui auquel il a le moins martelé l'esprit de sa nostalgie pour ce pays que ma mère et lui ont quitté. Moi non plus je ne comprends pas. D'un côté, ils nous répétaient qu'on avait de la chance d'être nés en France, qu'on était bien ici, que le Maroc, ce n'était pas ce que nous croyions, et de l'autre, ils ont passé une vie à espérer y retourner mourir. Nous nous interrogeons tous les quatre du regard. *Il t'en avait parlé à toi ?* Bérangère s'assoit sur l'accoudoir du fauteuil d'Ali et lui prend la main. Il la retire brusquement. Seule ma mère reste les yeux dans le vide.

— Pensiez qu'on s'rait enterrés où ? demande Maman.

— Ici, à Clichy. C'est ici, chez nous ! rétorque Foued.

— Foued mon fils, ici c'est chez vous. Nous, on est d'là-bas. Ici, l'y a pas d'orangers. On voulait des orangers dans not'jardin, murmure Maman en regardant Bérangère. On voulait finir nos vies ensemble, à l'ombre des orangers.

— Je comprends, la rassure Bérangère en lui tendant un Kleenex de Madame Al Assadi.

— Oh ça va, Bérangère, ne te mêle pas de ça ! aboie Ali.

— Moi aussi je comprends les orangers et tout, reprend Foued, mais pourquoi vous ne nous avez jamais rien dit ! Si vous nous en aviez parlé, on se serait habitués à l'idée. Là c'est un double déchirement, comme si Papa mourait deux fois.

— Ici, on n'enterre pas comme chez nous. Les Français, l'font pas attention à la direction des tombes, soupire Maman.

— Mais depuis quand vous êtes pratiquants ? Être enterré face à La Mecque, on s'en fout ! dit Foued.

— C'est *haram*, vot'père doit pas entrer au Paradis par le péché.

— Le grand-père de Samira, il est ici à Clichy. Il voulait aussi être enterré au Maroc, à Salé, mais il a changé d'avis quand le maire a créé un carré musulman au cimetière nord. Il a pensé à sa femme, à sa fille, à Samira, à tous ceux à qui il allait manquer et qu'il aimait. Il y a assez de Musulmans ici pour qu'ils respectent la tradition, suffit de se renseigner ! Pourquoi Papa fait pas pareil ? C'est hyper égoïste ! D'abord, il part sans prévenir et en plus il préfère un bout de désert à sa femme et à ses fils ! En fait, il s'en foutait de nous, il nous aimait pas. Ni toi. Ni nous !

Foued s'arrête avant de dire quelque chose qu'il regretterait. Il reprend son souffle en hoquetant entre ses larmes, se lève brusquement puis quitte la pièce pour s'enfermer dans sa chambre en claquant la porte, nous pétrifiant tous sur place dans un silence de cathédrale. Maman fixe la boîte de Polaroid ; vingt-neuf années de rires, de joies, de vie. *Elles sont là les preuves de l'amour de votre père*, semble-t-elle dire, *dans cette boîte au couvercle cabossé*. Personne n'ose prononcer un mot pendant un long moment, puis Ali brise notre mutisme.

— Donc Marwan prend l'avion puisque c'est lui que Papa a choisi, et nous on se tape de descendre en voiture, si j'ai bien tout suivi ?

— Oui, acquiesce Maman, l'y a des choses de vot'père que j'voudrais donner à vot'grand-mère. C'sera plus facile en voiture. Z'avez perdu un père mais z'êtes des hommes maintenant. Elle, l'a perdu son enfant, son seul fils.

— On a prévenu Mi Lalla ? dis-je inquiet.

— J'ai pas encore eu la force, peut-être plus tard, s'excuse Maman en baissant les yeux.

— Je m'en charge, reprend Ali.

— Comment tu vas faire ? Tu parles à peine l'arabe ! lui fais-je remarquer.

— Je trouverai les mots.

Maman relève la tête, incrédule. Elle n'a pas l'habitude qu'Ali se comporte comme un fils. Elle le fixe puis chuchote avec gratitude, *merci Ali, merci*. Les Kleenex de Madame Al Assadi circulent une nouvelle fois. *Qu'est-ce qu'j'vais d'venir sans lui ?*

Je me lève et embrasse Maman pour lui signifier que je respecterai la volonté de mon père, même si j'ai du mal à accepter qu'il choisisse de s'isoler au Maroc. Si c'était moi, je donnerais tous les orangers de Casablanca pour un après-midi entouré des miens à l'ombre des platanes du parc Roger-Salengro, à Clichy. Mais voilà, je ne suis pas mon père et je ne suis pas marocain. Je pense à Capucine et son banquier. Je suis certain qu'il n'a jamais mis les pieds au parc Roger-Salengro. Il a sans doute grandi dans les bacs à sable du Luxembourg, du parc Monceau ou d'un quelconque espace vert au-delà du périphérique. Ou l'équivalent à Rennes, puisque ce connard est breton !

Je cherche la présence encore tiède de mon père dans l'entrée. J'étouffe. J'ai besoin de prendre l'air. La porte de l'appartement dévoile la fidèle Madame Al Assadi. Elle s'extirpe avec lenteur de sa chaise, rassemble courage, dattes et Kleenex, puis me considère avec la compassion de ceux qui n'en sont pas à leur premier deuil. Elle porte le sien depuis quatre ans et va désormais guider ma mère dans son chagrin, comme souvent les veuves entre elles. *C'est à moi ?* me murmurent ses yeux. Oui, c'est à vous ; à vous d'offrir à Maman le réconfort de l'amitié, de lui enseigner la solitude, de lui faire aimer le souvenir.

# 6

Je passe le reste du dimanche seul chez moi. J'ai honte quand Foued m'appelle pour me demander ce que je fous, pourquoi je ne suis pas resté ? Ali et Bérangère sont partis juste après moi, heureusement que Madame Al Assadi était là ! Puis il avoue que lui aussi a déserté l'appartement pour aller retrouver Samira. Il ne pouvait pas supporter l'idée de savoir le corps de Papa dans la pièce à côté. Et puis il ne voulait pas être là quand la morgue viendrait chercher son cadavre. Madame Al Assadi l'avait rassuré. Elle s'en occuperait, elle leur indiquerait où aller et resterait auprès de Maman pour absorber l'écho de ses cris quand ils emporteraient la dépouille. *Et ils sont venus ?* Oui, mais il était déjà chez Samira. Il aurait dû rester, il le sait. Il a des remords maintenant, il aurait dû être plus solide, mais de voir ce cadavre comme ça ce matin, ça l'a trop chamboulé. *Comment ça se passe avec Samira ?* Bien, elle sait le consoler simplement, en étant là.

— Et Capucine ?

— Comment ça ?

— Ça va ?
— Oui, tout va bien.

J'ai beau être anesthésié par la mort de mon père, l'image de Capucine claquant la porte en répétant qu'elle a besoin de changement ne cesse de cogner dans ma tête, comme pour occulter ce qui fait vraiment mal. Je m'en veux que ce soit elle et son Breton qui occupent mes pensées. Mon père se serait sans doute contenté de hausser les épaules en tirant sur sa cigarette. Il avait peu de mots, mais il avait les bons et sa présence me rassurait, me donnait l'illusion d'être invincible. *Mais tu es invincible, mon fils ! À ton âge, rien n'est insurmontable*, m'avait-il dit le jour où j'exprimais mes doutes sur ma capacité à me présenter à l'agreg d'histoire.

Ali habitait encore à la maison quand il a brillamment réussi l'École du Barreau. Ce jour-là il affichait un sourire qu'il refusait d'élucider. Il avait été odieux pendant les deux mois précédents, ressassant que, s'il voulait se sortir de cette vie, il fallait qu'il bosse deux fois plus que les autres. Nous savions tous qu'il passait des examens, mais il nous avait caché la date des résultats. Un soir que mon père rentrait du garage, couvert de cambouis et d'huile de vidange, Ali avait brandi son diplôme d'avocat avec ce mélange d'arrogance et de gratitude qui l'a toujours caractérisé. Ce papier, c'était son ticket pour changer de monde, pour traverser le périph, quitter Clichy, le cambouis de mon père, le tajine de ma mère et s'inventer une vie nouvelle à Paris.

En apercevant le certificat, ma mère avait sauté de joie. Son fils ? Avocat ? En France ! Elle qui savait à peine lire le français en posant le pied ici, même si elle avait eu la chance de suivre des cours de langue, petite, à Casa ! Elle s'était mise à retourner tout l'appartement à la recherche d'un cadre pour accueillir la preuve tangible de la réussite de notre famille. Mon père avait la joie moins démonstrative, mais la fierté lui piquait tout de même les yeux. Il avait pris Ali dans ses bras en veillant à ne pas le tacher, puis avait disparu quelques minutes pour se laver les mains et changer de chemise. En revenant, il s'était assis dans son fauteuil et avait chaussé ses lunettes. Ma mère agrippait fermement un cadre en bambou qu'elle avait trouvé Porte de Saint-Ouen et destinait à un portrait de famille. Ali fixait l'objet avec effroi. Elle avait éteint la télévision et s'était installée dans le canapé, entre Foued et moi. Ali se tenait debout aux côtés de mon père, le torse bombé et plissait des yeux en nous toisant. Mon père avait tendu la main et Ali lui avait remis le document. Il s'était éclairci la voix d'une gorgée de thé à la menthe que Foued avait disposé sur le plateau berbère, puis avait déclamé à haute voix, avec cet accent qui nous faisait sourire et qui me manque à présent, chaque ligne dans une émotion qu'il parvenait mal à dissimuler. Ma mère reniflait ses larmes en silence.

L'en-tête du ministère de la Justice l'avait particulièrement impressionné, et ma mère s'était penchée pour en croire ses yeux. Ni l'un ni l'autre n'en revenaient, c'était comme si le garde des Sceaux en personne était assis dans leur salon. Ma mère répétait *ministère d'la Justice, tu t'rends compte !* comme pour se convaincre.

« Vu le procès-verbal de l'examen établi le 12 août 20-- », *procès-verbal ? Tu t'es fait arrêter par la police ?* s'était exclamé Foued en éclatant d'un rire qu'Ali avait stoppé net d'un regard plein de mépris. « Vu le procès-verbal de l'examen établi le 12 août 20--, avait repris mon père, par le président du jury, examinateur, ayant autorité sur les diplômes, le CAPA (Certificat d'Aptitude à la Profession d'Avocat) est conféré à Monsieur Mansouri Ali pour en jouir avec les droits et prérogatives qui y sont attachés. » *C'est tout ?* s'était écriée ma mère. *Il faut que le titulaire le signe*, avait répondu mon père. *C'est qui ça l'titulaire ? L'sont compliqués ces Français, l'pouvaient pas t'donner un diplôme déjà signé ? C'est moi le titulaire Maman*, avait répondu Ali en haussant les épaules. Puis il avait signé devant tout le monde, appuyé sur la table basse, débarrassée du plateau berbère pour faire de la place. Cette signature symbolisait le bout du chemin pour mes parents, la justification de leurs années de privation, la certitude que leurs trois fils étaient désormais de vrais Français !

Ce qu'Ali avait cependant caché à mes parents c'est que, quelque temps après, il avait prêté serment au Palais de Justice, devant certains des plus hauts magistrats de France et sous les applaudissements du gratin parisien venu féliciter ses rejetons. *Pour qu'ils débarquent en bleu de travail et en djellaba ?* avait-il rétorqué quand je le lui avais reproché. J'avais répondu que s'ils l'apprenaient un jour, ça leur briserait le cœur, mais Ali refusait de commencer sa nouvelle vie avec ce genre de stigmates sociaux. *Laisse-leur une chance, tu n'as qu'à les briefer un peu, leur dire quoi porter*, avais-je insisté. Mais lui suggérer de conseiller mes parents sur leurs habits, c'était l'obliger à choisir entre la peste et le choléra, entre la honte qu'il éprouvait envers eux et l'humiliation qu'il leur infligerait en leur en parlant.

Le week-end suivant la circoncision de son fils, Ali avait fait une grande fête chez lui, dans le 15e arrondissement. En sortant du métro Convention, j'avais aperçu la 2 CV jaune canari de mon père qui tournait dans le quartier à la recherche d'une place. Une fois la voiture garée, ma mère en était sortie dans une belle djellaba neuve, turquoise, brodée de motifs floraux. Elle était encombrée d'une énorme boîte en carton remplie de cornes de gazelle qu'elle avait commandées spécialement chez le meilleur pâtissier algérien d'Asnières. Mon père aussi portait une djellaba, brune, rayée de gris avec un liseré doré. Foued était en jean et chemise rouge, beau comme la jeunesse le permet instantanément. Ils suscitaient sur leur passage les regards moqueurs de la foule des samedis matin. Cela m'avait d'abord irrité, puis j'avais réalisé que ces passants se demandaient sans doute comment on pouvait éclairer la vie d'autant de couleurs, eux qui oscillent du gris de la semaine au bleu marine des week-ends bon ton, et j'avais éprouvé un orgueil immense pour ma famille, que j'avais rejointe afin que nous arrivions ensemble à la fête. Les parents et la sœur de Bérangère, Constance, avaient complimenté ma mère, avec sincérité, sur sa djellaba. Je les aime beaucoup, ce sont des gens qui placent le cœur au-dessus des conventions sociales. Ali avait convié plusieurs amis avocats qui bossaient avec lui. Tous les hommes étaient en costume sombre, certains portaient une cravate, d'autres avaient déboutonné le col de leur chemise blanche sous leur veste. Ils discutaient de leurs dossiers et de leurs plaidoiries en trinquant au champagne. Ils étaient très polis, très gentils avec ma mère qui faisait circuler les cornes de gazelle en riant. Ali avait dû les briefer car personne n'a gaffé en s'étonnant de ne pas avoir rencontré sa famille à la prestation de serment, mais l'un de ses collègues m'avait demandé discrètement quel était le vrai prénom d'Ali. Je n'avais d'abord pas compris la question. *Comment ça ?* Il avait ajouté que les cartes de visite de mon frère étaient au nom d'Alexandre, *ce qui ne fait aucune différence, les clients nous appellent tous Maître de toute façon, mais nous on l'appelle Ali au cabinet alors je me demandais juste ce qu'il en était.* Ali avait déguisé cela en éclatant de rire quand je lui avais posé la question. *Ta femme appelle ton fils par son nom arabe et toi tu changes le tien pour le franciser ? C'est le monde à l'envers ?* Ali m'avait affirmé avec l'aplomb des bons menteurs qu'il s'agissait d'une erreur de l'imprimeur et qu'il avait été furieux, *crois-moi !*, en déballant le paquet de cartes de visite.

Ce jour-là, grâce à mon frère jumeau, j'ai réalisé que la plus grande honte, ce n'est pas d'avoir dit ou fait quelque chose que l'on regrette. Ce n'est pas non plus l'embarras que l'on peut ressentir pour ses parents ou ses origines. Non. C'est celle que l'on éprouve vis-à-vis de soi-même. La plus grande honte, c'est avoir honte de qui l'on est.

# 7

Quand le lendemain je lui annonce que je dois poser un congé pour l'enterrement, Monsieur Morin m'explique qu'en tant que proviseur, ça ne l'arrange pas du tout. Il a pris un risque monumental en me confiant des Terminales dès ma première année au lycée. L'avenir de ces gamins est en jeu, leur bac, tout ça, mais bon, puisque la Loi m'autorise à prendre trois jours ouvrables en cas de décès d'un parent, alors *condoléances et à jeudi. Vendredi, non ?* Il me regarde, interloqué. Trois jours ça veut dire aujourd'hui, mardi et mercredi, donc je dois reprendre jeudi. À moins que je n'aie envie de passer la journée d'aujourd'hui au lycée ? Monsieur Morin ne plaisante pas avec les lois et les règlements. C'est un homme intègre. Un homme intègre qui a ses doutes quant à l'intégration et ses certitudes quant à l'intégrisme. *Trop de différences culturelles, si vous voyez ce que je veux dire.*

Pourtant Monsieur Morin était prof d'histoire lui aussi avant de devenir chef d'établissement. Il sait que le Maroc est fier de son lien historique avec la France. Je le lui rappelle parfois et il hausse les épaules, comme l'aurait fait mon père. *Je ne dis pas ça pour vous, Monsieur Mansouri. Vous êtes l'exception qui confirme la règle, si vous voyez ce que je veux dire.* En réalité, je ne vois jamais ce qu'il veut dire et parfois j'en ai marre de ces expressions toutes faites. L'exception qui confirme la règle ? C'est peut-être vrai en grammaire mais pas dans la vie. Il n'y a pas de règle dans la vie, sinon mon père ne serait pas mort à cinquante-quatre ans.

Monsieur Morin répète souvent qu'il n'est pas raciste. Il a l'air sincère. Il semble perdu et ça, je le comprends. Moi aussi, souvent, je suis perdu, Ali et Foued aussi, et mes élèves encore davantage. Français, Arabes, Français musulmans, Musulmans français, c'est pas clair tout ça.

Je me souviens d'un de mes petits Sixièmes il y a deux ans, Farid Chibane. Son père était algérien et avait quitté sa mère bourguignonne pour retourner à Constantine quand Farid avait six mois, laissant à son fils un nom, un visage et une mélancolie mouillés de Méditerranée. C'était un gamin sensible qui avait reçu la morsure de la différence pendant un cours d'éducation physique où il s'était fait traiter de nullité d'Arabe par l'équipe adverse à la fin d'un match de foot. *Et Zidane alors ?* avait-il répondu. *On en reparlera quand t'auras gagné la Coupe du Monde !* En réalité, ce qu'on reprochait à Farid Chibane, ce n'était pas d'avoir un nom et une gueule d'Arabe. Ça, ça aurait été du racisme ! On ne lui reprochait pas non plus d'être nul. Non, ce qu'on lui reprochait, c'était de ne pas avoir encore fait ses preuves, de ne pas avoir gagné une Coupe du Monde. À onze ans.

Le problème vous voyez, c'est que, pour la plupart des gens, il n'y a pas de Français moyens chez les Maghrébins. Il n'y a que des Arabes. J'ai beau être prof d'histoire-géo, Ali a beau être avocat, Foued aura beau être ce qu'il voudra, nous ne serons jamais des Français moyens. Juste des Arabes. C'est différent quand on gagne une médaille olympique, une coupe du monde ou un César, ou quand on finit comiques, journalistes ou ministres. Alors seulement on cesse de voir l'Arabe. Comme si, pour nous, être français était une question de succès, une question de mérite. Aux autres qui, comme moi, restent dans l'anonymat de leurs vies ordinaires, on rappellera constamment leurs origines. Pas toujours avec racisme, pas toujours avec méchanceté, pas souvent même, mais toujours en marquant la différence. Combien de fois me demande-t-on, très gentiment, si Mansouri c'est un nom italien ? Et quand je réponds *Non, marocain*, on me lance à chaque fois *Aaaah, je me disais bien que vous n'étiez pas français*. Si, je suis français. Je suis né ici. Je n'ai jamais vécu ailleurs. Mais ma gueule, oui, elle est plus foncée.

Les autres sont d'origine italienne, d'origine polonaise, d'origine espagnole ou portugaise, ou belge. Nous, nous sommes des Arabes. Même pas algériens, marocains ou tunisiens. Juste des Arabes.

Non, il n'y a pas de Français moyens chez nous. Sauf les Libanais, qui sont malins ; mais on a peu de Libanais à Clichy. Ils sont plutôt du côté de Neuilly.

Quand il est venu se confier à moi, le petit Farid ne comprenait pas ; *pourquoi mon père il m'a donné cette tronche et il s'est barré, M'sieur Mansouri ?* Je lui ai parlé de Zidane, d'Adjani et d'autres qui se faisaient sûrement traiter de sale Arabe dans la cour de récré, même s'ils étaient Kabyles. Ça ne les a pas empêchés de dépasser ceux qui les insultaient. J'aurais aussi pu lui parler des fils Mansouri, dont le père était garagiste à Clichy, et qui ont fait des études pour s'en sortir, mais quand un gamin se cherche comme ça, il a besoin d'entendre du rêve. Et prof d'histoire-géo, ça fait pas rêver à cet âge-là. Alors je lui ai dit *un jour il y aura un Arabe au Panthéon, entre Voltaire et Jean Moulin, tu verras. Peut-être même une maghrébine ! Il y a bien Marie Curie, une Polonaise ! Et pourquoi pas à l'Élysée ?* Il a séché ses larmes, m'a remercié et m'a souri en s'exclamant *moi j'ai pas besoin du Panthéon ou de l'Élysée, M'sieur, j'veux juste qu'on me laisse tranquille quand j'joue au foot.* Mais je voyais bien que ce n'était pas tout à fait clair dans son esprit. Pas clair pour Farid Chibane, pas clair pour moi, alors pour Monsieur Morin qui est né pendant la Guerre d'Algérie…

Je me tiens debout devant son bureau sans savoir comment lui demander une semaine de congé supplémentaire pour me rendre à Casa. Je tire machinalement sur les manches de mon pull-over. J'ai la gorge sèche et les jambes qui tremblent. J'ai onze ans ! Je regarde la ville par la fenêtre, sans dire un mot. On a une vue très différente d'ici.

Monsieur Morin s'interroge sur ce que je fabrique encore là, à rêvasser. *Vous feriez mieux de rejoindre votre famille, votre mère. Le deuil c'est important.*

*Mademoiselle Soulages s'occupera de la paperasse pour votre congé.* Mademoiselle Soulages, c'est sa secrétaire. Si elle avait vingt ans de moins ce serait son assistante, mais elle explique en riant qu'elle n'a aucune envie de faire partie de l'assistance, que c'est plus intéressant d'être dans le secret, alors elle préfère qu'on dise secrétaire.

— Il y a autre chose, Monsieur Morin. Mon père a choisi de se faire enterrer au Maroc.

— Voyons donc, il a choisi ? Et pourquoi ça ? Il n'est pas bien en France ?

— Si, si, il était très heureux en France.

Monsieur Morin hausse les sourcils dans une moue sans conviction.

— Le problème, c'est qu'il m'a désigné comme accompagnateur dans le contrat d'assurance-décès.

— Assurance-décès ? Qu'est-ce que c'est que ça ? Je connais les assurances-vie, mais les assurances-décès…

— En fait c'est une assurance de rapatriement en cas de décès. Moi non plus, je n'étais pas au courant qu'il en avait pris une. Ce n'est pas un sujet dont on parlait souvent.

— Donc ça veut dire quoi, Monsieur Mansouri ? Que vous avez trois jours pour faire l'aller-retour ?

— Oui. C'est court, Monsieur Morin.

— Ah oui, en effet, c'est court. Il va falloir faire vite…

J'explique que je partirai sans doute demain et que mes frères et ma mère descendront en voiture, ce qui prendra environ trois jours.

— Bref, j'aurais besoin de dix jours de congé en tout, Monsieur Morin, s'il vous plaît.

— Dix ? La Loi dit trois jours et la rentrée, c'est demain. Je ne peux pas faire d'exception, Monsieur Mansouri, ça pourrait être mal pris par vos collègues, si vous voyez ce que je veux dire.

Je ne réponds rien.

— Et pourquoi votre père ne se fait pas incinérer et vous emportez les cendres au Maroc pour les vacances de la Toussaint ? Le premier novembre, c'est pas mal, ça, non ? C'est la fête des morts en plus !

Je suis tellement choqué par sa suggestion que les mots me manquent. J'ai envie de lui écraser ma main sur la gueule. Ali l'aurait fait, lui. Pour nous, incinérer un défunt, c'est le priver d'au-delà. C'est impensable ! Je me contente de lui dire en serrant les poings que *c'est le deux novembre que l'on fête les morts, pas à la Toussaint*. Chez nous on ne fête ni les Saints, ni les morts. C'est pour ça que les funérailles n'ont jamais lieu à la mosquée ; la mosquée, c'est pour les vivants. Tout ça je l'ai appris tout seul, car nous n'avons jamais visité de mosquée quand j'étais petit. Alors au cours d'un de ces étés interminables chez ma grand-mère à Casa, je suis allé y faire un tour en cachette. Et j'ai vu. J'ai vu le gazouillis joyeux des oiseaux dans la fontaine, le piaillement enjoué des enfants à l'intérieur de l'enceinte, le papotage discret des femmes à l'ombre des piliers et le recueillement sage des hommes dans la salle de prière. J'ai aussi vu la colère blanche de mon père quand ma grand-mère lui a rapporté mon escapade. Ma mère m'avait consolé. *Marwan mon fils, si tu veux vraiment aller à la mosquée, demande à ton père. L't'emmènera.*

— Les Musulmans n'ont pas le droit de se faire incinérer.

— Voyez-vous ça ? Et pourquoi donc ?

— C'est *haram*.

— C'est quoi ?

— C'est *haram*, c'est péché.

— Et votre père était pratiquant ?

— Non.

— Et vous ? Votre mère ?

— Non plus.

— Alors ?

— Chez nous c'est péché même si on n'est pas pratiquant. C'est comme ça.

— Ah ben alors ! Si même les non-pratiquants ont peur du péché maintenant, il va falloir que vous trouviez une solution, Monsieur Mansouri. Moi, je ne peux pas faire grand-chose de plus. Alors à jeudi !

Je sors du bureau de Monsieur Morin très dépité. Mademoiselle Soulages a le nez plongé dans un classeur et lève la tête en m'entendant refermer la porte.

— Alors Monsieur Mansouri, on vous a donné des Terminales ! Je m'en doutais, vous savez ! Je suis très amie avec la secrétaire du principal de votre ancien collège, elle m'a dit que vous étiez le meilleur prof d'histoire-géo qu'elle ait jamais connu !

— Oui. Je veux dire, merci, Mademoiselle Soulages, c'est gentil.

— Il y a un truc qui vous tracasse, on dirait. Il ne faut pas vous inquiéter. Les Terminales, ce sont les mêmes que les Sixièmes avec six ans de plus et des boutons plein la figure !

— Non, ce n'est pas ça… Monsieur Morin m'a dit que vous pouviez me donner un formulaire de congés pour décès.

Mademoiselle Soulages pousse un petit cri et s'approche de moi pour me prendre dans ses bras, puis s'arrête dans son élan et me sourit avec douceur. Elle a des larmes plein les yeux. *C'est arrivé quand ?* Je lui raconte tout d'un bloc en essayant de ne pas flancher ; le décès soudain de mon père, le voyage au Maroc, les trois jours de congé que la loi autorise. Elle ne répond rien et regarde par la fenêtre pendant un long moment avant de se diriger vers une armoire en acier. Elle en sort plusieurs formulaires, griffonne quelque chose sur l'un d'entre eux et les insère dans une pochette en plastique qu'elle me tend.

— Vous êtes très pâle, Monsieur Mansouri. Je comprends, après une nouvelle pareille, mais vous devriez consulter un médecin. Ça ne m'étonnerait pas que vous couviez quelque chose.

— Merci, ça ira.

— Je me permets d'insister, ajoute-t-elle. Allez voir un médecin avant de partir.

Elle m'invite à m'asseoir à son bureau et à bien remplir tous les documents immédiatement *comme ça, ça ne traînera pas. Je m'absente dix minutes, Monsieur Mansouri, vous serez tranquille. Ne vous inquiétez pas si le téléphone sonne, ils rappelleront. Tout peut attendre, vous savez.*

Mademoiselle Soulages quitte la pièce et je m'installe dans son fauteuil. Sur son bureau trônent une photo de son chat et une autre, toute cornée, comme les Polaroid de mes parents, sur laquelle une petite fille éclate de rire sur les genoux d'une femme qui ressemble à Mademoiselle Soulages. Sa mère sans doute. La petite fille porte des lunettes de soleil qu'elle a dû lui chiper. Elles sont beaucoup trop grandes pour elle. Sa mère, elle, a les yeux rouges.

J'ouvre la pochette en plastique : *Académie de Versailles, Demande de congé pour décès du conjoint, du père, de la mère ou d'un enfant.* Il y a encore deux jours, je ne savais même pas qu'un tel formulaire existait. Je soupire à l'idée que Monsieur Morin refuse de m'accorder dix jours de congé. Je lui en veux, pas tant à Monsieur Morin, mais à mon père. Comment vais-je faire pour organiser son enterrement en trois jours ?

Alors que je replace le formulaire dans la pochette, une feuille s'échappe. J'ai du mal à déchiffrer l'écriture. *Si vous ne vous ménagez pas, votre médecin risque de vous mettre en arrêt maladie pour quinze jours !* Mademoiselle Soulages !

Je descends l'escalier et traverse la cour jusqu'au terrain de foot. Désert. De l'autre côté de la rue, les panneaux publicitaires géants étalent leur ombre sur la façade du lycée. Des blondes sans défaut me défient à grands coups de *Parce que je le vaux bien !* Elles ont l'air insouciant, comme s'il suffisait d'une dentition parfaite et d'un slogan accrocheur pour que la vie s'arrange. Je suis prof d'histoire-géo, mon père est mort hier, j'ai quinze kilos de trop et personne dans ma vie. Est-ce que je le vaux bien moi aussi ? Et mon père ? Est-ce que ça valait la peine de quitter son pays ? Bosser sans relâche et rêver d'une retraite paisible là-bas, pour au bout du compte mourir à Clichy et finir dans un cercueil en zinc à Roissy ?

Je m'adosse au mur. Si je fumais, je fumerais. Je lève la tête vers le ciel. Le soleil me brûle les yeux. Je fouille dans ma poche, sors mon téléphone que j'allume. Une salve de messages m'atteint de plein fouet.

D'abord la compagnie d'assurance qui m'informe que mon départ aura lieu demain. On m'a envoyé le billet par email. Pour le retour, je n'aurai qu'à les appeler et leur donner la date souhaitée. Condoléances et bon voyage.

Puis six SMS d'Ali qui m'atteignent en différé.

> Bérangère reste pour s'occuper de Gabriel.
> Ai posé une semaine de congé.
> Partons demain en voiture.
> Paris / Casa = 2 300 km !
> Arrivée jeudi.
> Toi ?

Et enfin un message d'Amine, le p'tit jeune qui travaille avec mon père depuis cinq ans. Il voudrait me voir avant mon départ, sans doute pour savoir quoi faire avec le garage. Qu'est-ce que j'en sais, moi ? Je suis pas garagiste !

# 8

Amine m'attend devant le garage de la rue de Paris. L'odeur de soudure, qui ne quitte jamais les lieux, fait rejaillir des images de mon père. Ali et moi passions souvent le saluer en sortant de l'école. On avait huit ou neuf ans. On rentrait seuls à la maison, tout le monde nous connaissait, tous les voisins nous surveillaient, tous les amis de mes parents nous protégeaient. Un village d'entraide en plein Clichy. Au garage, mon père nous asseyait sur une pile de pneus et nous le regardions trimer. Je sais que, secrètement, il nous donnait une leçon à sa manière. Si nous ne travaillions pas sérieusement à l'école, si nous ne respections pas les valeurs qu'on nous y inculquait, que la France nous offrait, nos vies d'adultes ressembleraient à la sienne et leur sacrifice, à ma mère et à lui, n'aurait servi à rien.

Le rideau de fer est baissé. Une feuille format A4, scotchée sur la porte, explique « FERMER POUR CAUSE D'ESSAI ». J'éclate de rire. Amine me regarde, l'air surpris.

— J'aurais dû d'mander. Pardon. Mais tout l'monde veut savoir pourquoi on est fermés d'puis le décès d'ton père, qu'Allah accueille son âme dans sa miséricorde.

— Non, non, ce n'est pas ça. C'est rien, Amine. Ça me fait du bien. Je n'ai pas ri depuis un moment.

Amine m'observe incrédule. Lui aussi a pleuré.

Il pivote face à la devanture, puis baisse la tête et répond en me tournant le dos, comme s'il s'adressait au garage.

— J'suis passé voir ta mère hier soir, avec Aïcha. Madame Al Assadi y était encore. Tu sais, Marwan, j'voulais y aller plus tôt ; j'voulais passer quand j'ai reçu ton SMS, dès le matin, mais j'ai pensé j'suis pas d'la famille et les premières larmes c'est pour la famille ; alors j'ai chialé comme un gosse, tout seul derrière c'te rideau d'fer.

— Il t'aimait, Amine.

Amine se retourne, les yeux gonflés.

— Ton père c'était quelqu'un, tu sais ? Il fallait l'voir démonter un moteur et l'remonter en moins de deux. J'avais beau l'observer, j'comprenais pas toujours tout. C'tait un pianiste ton père ; un pianiste d'la mécanique.

Quand mon père a embauché Amine, beaucoup de gens du quartier ont manifesté leur étonnement. C'est qu'Amine traînait souvent dans le coin avec une bande un peu louche à la recherche d'une connerie à faire, quitte à ce que la police le chope. Et c'est ce qui est arrivé. Il a fini trois mois au trou pour un sac à main de trop. Mais Amine, c'est la famille. Nos grands-pères ont grandi ensemble à Casablanca. Quand il avait quatre ans, ses parents sont morts asphyxiés dans un incendie et son grand-père, Kabic, l'a recueilli et élevé tout seul.

Kabic c'est un peu le grand-père que nous n'avons jamais eu. Je l'ai toujours connu. Du coup avec Amine, on est un peu cousins. Kabic, c'est surtout une personnalité de Clichy. Tout le monde sait qui c'est ici, peut-être pas les bobos récemment installés, mais les autres oui.

Il a débarqué en France en 1961, à dix-huit ans, en métropole comme on disait encore à l'époque, même si le Maroc était indépendant depuis 1956. À son arrivée, il avait trouvé du boulot très rapidement et une place dans un foyer de travailleurs migrants à Argenteuil. C'était l'époque où la Sonacotral, la Société nationale de construction de logement de travailleurs algériens, avait décidé d'assainir les conditions de logements des Maghrébins, en même temps que de garder un œil sur d'éventuels sympathisants du F.L.N., en les parquant dans des cités-dortoirs. Kabic avait magouillé un peu avec les Algériens pour trouver une place. Son père venait de Kabylie alors pour les Algériens, il était comme eux, même si sa mère était marocaine, une Berbère du Moyen Atlas et qu'il avait grandi à Casablanca. La colonisation française n'a pas eu que du mauvais, dit souvent Kabic en plaisantant, sans elle, ses parents ne se seraient jamais rencontrés et il ne serait pas là.

Kabic, ce n'est pas son vrai nom. On l'appelle comme ça parce que c'est le premier Kabyle à avoir bossé à l'usine BIC de Clichy. Maintenant c'est devenu le siège social de la marque, mais à l'époque c'était de là que sortaient les célèbres stylos à bille.

Si Kabic est une célébrité, c'est parce qu'il a donné l'idée du briquet jetable au Baron Bich, un matin de 1973 où, à l'entrée de l'usine, Kabic s'échinait sur son mégot avec des allumettes humides. Le Baron lui avait conseillé d'acheter un briquet et Kabic avait répondu, en haussant les épaules, qu'il aurait bien voulu mais qu'il n'avait pas les moyens. Un briquet, à l'époque, ça coûtait cher et ça se gardait toute une vie. La réponse de Kabic avait obsédé le Baron pendant des semaines, et plutôt que d'offrir un vrai briquet à Kabic, il avait inventé le briquet BIC jetable à trois centimes pour que les gens comme Kabic puissent se l'offrir et que son entreprise en bénéficie. Le succès avait été aussi fulgurant qu'inattendu. Le Baron avait remercié Kabic de l'avoir inspiré en lui offrant le cent millième spécimen sorti de l'usine devant une cohorte de journalistes en imper. Un briquet BIC en plaqué or que Kabic utilise toujours, même si les années l'ont terni. La photo d'un Kabic gêné, en bleu de travail, aux côtés du Baron tout sourire dans son costume sur mesure, avait fait le tour du monde dans *Paris Match*, à quelques pages de Brigitte Bardot, radieuse sur la plage de Saint-Tropez.

Cette photo avait propulsé Kabic dans l'aristocratie de Clichy. Tout le monde le reconnaissait, tout le monde voulait être son ami ; Français, Algériens, Espagnols, Hongrois, Marocains, Portugais, Yougoslaves, ça n'avait pas d'importance, Kabic avait côtoyé Brigitte Bardot dans le plus grand magazine de France. On l'adulait.

Aujourd'hui, il vit seul à Clichy. Il n'a jamais quitté le petit deux-pièces dans lequel il a élevé Amine, son petit-fils, rue du Cimetière.

Quand Amine est sorti de prison, mon père l'a pris à l'essai, d'abord pour réparer les autoradios puisque c'était devenu sa spécialité à force d'en piquer, puis très vite Amine a pris du galon et mon père lui a appris la mécanique. Après quelques années, il lui confiait de temps en temps les clefs du garage pour emmener ma mère au restaurant. Toujours le même. Un restaurant marocain dont elle ressortait à chaque fois en clamant qu'elle réussissait mieux le tajine aux olives qu'eux, ce qui provoquait l'hilarité de mon père.

— J'voulais te d'mander, Marwan, c'que toi et ta famille vous comptiez faire du garage.

— Je ne sais pas, Amine, c'est un peu tôt, on n'y a pas pensé.

— Oui, j'comprends.

— Je dois emmener mon père au Maroc pour l'enterrer là-bas, ma mère a dû t'en parler.

— Oui, elle m'a dit.

— Alors j'ai beaucoup de choses à régler avant le départ.

— Oui, oui, mais…

Amine baisse les yeux en direction de ses chaussures et se met à me parler comme s'il demandait pardon.

— Voilà, si j'pouvais l'garder ouvert parc'que, il marche bien le garage. J'sais c'est pas facile d'prendre une décision si vite, et j'm'excuse, Marwan, mais j'me suis dit que même pour ta mère, c'est mieux si le garage il s'arrête pas, pour qu'elle continue de recevoir un peu d'argent. Je sais que toi et tes frères vous êtes là, bien sûr, mais j'pense que c'est bien d'aider vot' mère maintenant qu'elle est veuve. J'en ai déjà parlé aux copains du quartier et on a commencé une cagnotte pour elle. Et puis vot' père, c'est le seul moyen que je peux lui rendre hommage, faire continuer un peu c'qu'il a commencé. Et puis la vérité, j'ai mon loyer à payer aussi et tout ça.

— Oh, Amine, évidemment ! Je n'y avais pas pensé. Évidemment !

Il relève la tête et sourit de son regard humide, puis me remercie au moins trois fois en se posant la main sur le cœur.

— Tu vas pouvoir assumer tout seul ?

— Oui, faut pas t'inquiéter. Ça fait cinq ans que j'suis ici. J'suis pas aussi fort que ton père mais j'suis bon. Il m'a bien appris.

— Il t'aimait beaucoup, tu sais.

— Moi aussi. J'fais le fort, mais c'est comme si j'perdais mon père une deuxième fois. Enfin, j'veux dire presque. C'est juste qu'ton père, il m'app'lait *p'tit* et parfois même il m'app'lait *wouldi, mon fils*.

Je ne savais pas, mais je ne dis rien. Amine danse d'un pied sur l'autre. Il n'a pas envie d'être là quand l'émotion le rattrapera. Puis tout à coup il sort une enveloppe froissée de sa poche et me la tend. *Tiens, j'devais mettre ça sur l'compte du garage à la banque ce matin. Ton père, il m'l'a confié hier soir. Donne-le à ta mère, elle en aura besoin pour l'voyage.* J'attire Amine dans mes bras et le serre fort pour que ses larmes s'échappent sans être vues. Il se dégage au bout d'une minute et s'essuie les yeux d'un revers de manche en reniflant. *Va voir Kabic, il a quelqu'chose pour toi aussi*. Il se pose la main sur la bouche puis sur le cœur et me lance *bon voyage alors, prends soin d'not'père, mon frère. Il nous r'garde du Paradis*.

# 9

Ses cheveux ont blanchi depuis la dernière fois. Il a maigri aussi. Ses yeux turquoise lui mangent à présent le visage. Comme on fait souvent avec les gens marqués par la fatigue, je murmure à Kabic qu'il a l'air d'aller bien tandis qu'il referme la porte de son appartement. Il hausse les épaules et traîne ses babouches usées jusqu'à la pièce unique qui voit s'écouler sa vie depuis qu'Amine n'habite plus ici. *Il ne faut pas mentir, Marwan, surtout pas à un vieux comme moi. Je peux tout entendre à mon âge.* Il laisse choir son corps frêle dans son fauteuil, crevé aux accoudoirs, et allume une cigarette en me lançant le paquet. Je l'attrape et le pose aussitôt sur la table basse. *Toujours pas ?* chuchote-t-il en rangeant son briquet doré dans sa poche, *drôle de génération qui ne trouve de réconfort dans aucun vice. Vous devez vous sentir bien seul dans les moments tristes.*

Ici aussi la télé est éteinte. Rien de ce décor où je me suis si souvent réfugié enfant n'a changé ; les rideaux décolorés par un soleil de banlieue, le plafond jauni à la Gitane sans filtre, l'odeur de tabac dans le cendrier noirci, son fauteuil recouvert d'un plaid berbère effiloché, comme tout chez lui. Il y a aussi le vieux divan où Kabic couche ses insomnies et se brise le dos depuis quarante ans, la carte du Maroc, en métal martelé, que la nostalgie a accrochée entre les deux fenêtres, la petite table en laiton ciselé sur laquelle il m'imposait de faire mes devoirs après avoir partagé avec moi un thé à la menthe. J'y ai gravé mes initiales, MM. *Je pleure depuis qu'Amine m'a prévenu pour ton père. Mes yeux n'ont plus de larmes, Marwan, mais mon cœur en est rempli.* Il mêle au fatalisme des anciens, dont la vie est rythmée par les enterrements, la culpabilité de ceux que la mort épargne en emportant un plus jeune.

C'est Kabic qui avait convaincu mon père de quitter le Maroc et l'avait persuadé que son avenir se trouvait à Clichy. *Le Maroc, il vaut mieux le voir avec des francs qu'avec des dirhams* lui serinait-il à l'époque. Et Kabic savait de quoi il parlait. Il avait grandi avec le père de mon père à Casablanca, dans le quartier de Sidi Moumen. Je dis *quartier* mais je devrais plutôt dire *taudis* parce que *quartier* ça fait bourgeois, avec ses petits commerçants, ses cafés et ses vendeurs d'oranges. À Sidi Moumen, quand une maison possédait un mur sur quatre en bouts de briques, c'était Versailles ! Les autres se disputaient un amas de tôles ondulées au milieu des fumées d'usines ou un coin de poussière surmonté d'une bâche trouée qui asphyxiait les nouveau-nés en été. Un royaume de décombres, borné d'un côté par l'autoroute et de l'autre par le cimetière. On était loin du Casablanca de Bogart et

Bergman et pourtant, comme si la dernière réplique du film avait été écrite pour eux, ça, avait été *le début d'une belle amitié* entre Kabic et mon grand-père. C'est comme ça que Kabic nous le racontait en tout cas. Bien sûr, enfants, on n'imaginait jamais leur misère de bidonville mais seulement un immense terrain de jeu avec la liberté pour seule règle et la fatigue pour seule limite.

En 1960, Kabic et mon grand-père avaient dix-sept ans. Ils avaient décidé de tenter leur chance en France, ensemble. Ils avaient travaillé dur pour pouvoir se payer la traversée sur un cargo mixte en partance pour Nantes, pas un navire de la Compagnie de navigation Paquet comme les riches, mais ça, c'était pas important parce qu'un jour ils reviendraient en paquebot. Ils comptaient se laisser pousser la barbe et mentir sur leur âge, personne ne verrait qu'ils n'avaient pas vingt et un ans. On leur avait dit que pour les Français, un Arabe c'était un Arabe et qu'ils vérifiaient rarement que tout était en règle. Kabic lisait le français et gagnerait plus que mon grand-père, qui était mécanicien. Ils allaient tout partager, tout vivre ensemble, jusqu'à Paris. Et ils deviendraient riches en francs, et ils se feraient construire une maison à leur retour. À Californie. Pas à Hollywood, non, dans le quartier de Californie à Casa que les troupes de Patton avaient baptisé ainsi après y avoir installé leur campement lors du débarquement au Maroc, en 1942. Californie où les jardins foisonnaient de bougainvilliers, d'orangers, de cèdres et d'amandiers aux fleurs sucrées et où les maisons avaient toutes des piscines privées. Et ils auraient une cuisinière et un chauffeur. Et un jardinier ! Et les plus belles femmes

du Maroc se presseraient à leur porte pour les supplier de partager leur lit. Et les Françaises et les Espagnoles aussi ! Ils vivraient comme des Américains. Rien n'est inaccessible quand on a de l'imagination.

Mais mon grand-père n'avait pas la discipline de Kabic. Il aimait trop les femmes et son mirage s'était évaporé le jour où ma grand-mère était tombée enceinte. Il avait dû l'épouser, réparant leur honneur par le deuil de son rêve, mais malgré ça, à une époque où, surtout dans les familles pauvres, la pureté des jeunes filles représentait la plus grande richesse, mes grands-parents étaient devenus des parias dans tout Sidi Moumen et une chape de honte s'était abattue sur eux. Mon grand-père avait alors remis à son ami tout le pécule qu'il avait patiemment économisé pour le voyage et Kabic avait pris seul le cargo pour Nantes, en passant par Tanger et Bordeaux. Son estomac s'est longtemps souvenu des vagues déchaînées du golfe de Gascogne, assaisonnées d'odeurs de mazout. En partant, il avait fait serment à mon grand-père d'envoyer de l'argent tous les mois pour le petit à naître. C'est ainsi que, dès son plus jeune âge, mon père a été nourri de leur formidable amitié.

Grâce aux mensualités de Kabic, mon grand-père et sa famille avaient pu quitter Sidi Moumen pour s'installer dans un quartier un peu moins pauvre, et laisser derrière eux la méchanceté des lanceurs de première pierre. Il avait élevé mon père et ses trois sœurs grâce à un petit garage aux portes d'Anfa, un quartier chic de Casablanca, où il avait d'abord réparé les mobylettes Peugeot et les vélos Solex, puis les automobiles de luxe

après avoir racheté le terrain vague attenant. Le garage tournait bien mais mon père rêvait d'ailleurs. Depuis qu'il était petit, chaque fois que mes grands-parents recevaient une lettre de Kabic et que mon grand-père la lisait à voix haute devant toute la famille, mon père fermait les yeux et s'efforçait de mettre des images sur les mots en français : la tour Eiffel, Montmartre, les Champs-Élysées, le 14 Juillet, Liberté, Égalité, Fraternité. Il savait que mon grand-père avait renoncé à son rêve à cause de lui, parce que Mi Lalla était tombée enceinte, et s'était juré qu'un jour il offrirait à ses parents une belle maison à Californie après avoir fait fortune en France. Lors du mariage de mes parents, Kabic, qui était venu à Casa pour l'occasion, avait longuement discuté avec mon père et il avait vite fait de les convaincre, lui et ma mère, de le rejoindre à Clichy.

Kabic était arrivé en France au début des événements d'Algérie, quand les Maghrébins étaient perçus comme des traîtres et que tout le monde s'en méfiait, et il voulait faciliter la vie au fils de son meilleur ami. Ce fils qu'il a perdu hier.

— Comment va ta mère ? Et Foued ? Et Ali ? demande Kabic.

— Ma mère est sous le choc. C'est elle qui l'a découvert hier matin ! Elle se demande ce qu'elle va devenir.

— C'est normal, elle est inquiète. Dis-lui qu'on va s'occuper d'elle. Dis-lui que je ne voulais pas passer tout de suite parce que les premières heures, c'est pour la famille.

— Mais tu es de la famille, lui dis-je en m'asseyant.

— Je n'en suis pas loin en tout cas, répond-il avec mélancolie.

— Madame Al Assadi est passée.

— C'est bien. C'est bien pour ta mère. J'irai plus tard, quand mon chagrin sommeillera.

— Kabic, je voudrais te poser une question.

— Tu veux un thé à la menthe, Marwan ? Ça aide à faire passer le malheur.

— Oui. Je vais nous le préparer.

La cuisine est à moins de cinq mètres. J'ai offert à Kabic la même bouilloire électrique que celle de mes parents. Pendant que l'eau chauffe, je reprends le fil de la conversation, accoudé à l'évier, en parlant un peu plus fort pour que mes mots voyagent jusqu'à la pièce d'à côté.

— C'est à propos de l'enterrement de mon père.

— À Casa ?

— Oui, à Casa. Comment tu sais ?

— Il m'en avait parlé. C'est normal. Moi aussi, j'irai à Casa.

— Nous, il ne nous a jamais rien dit. Enfin, à ma mère, si.

— Et tu dois l'accompagner, répond Kabic.

Je l'entends allumer une nouvelle cigarette.

— Tu sais pour ça aussi ?

— C'est moi qui lui ai parlé du contrat d'assurance. J'en ai un moi aussi.

— Mais c'est incroyable cette histoire ! Il ne dit rien à sa propre famille, mais à toi…

Kabic ne répond rien. Je lui ai fait de la peine.

— Pardon, je ne voulais pas dire ça.

— Ce n'est rien.

La bouilloire s'éteint. J'ouvre le réfrigérateur et en sors le sachet de papier d'aluminium qui contient la menthe. Je jette quelques feuilles dans la théière.

— Qu'est-ce qui te contrarie ? Que ton père ait choisi de rentrer au Maroc ?

— Oui.

— Son père est là-bas. Ses ancêtres sont là-bas.

— Oui, mais nous, nous sommes ici. On s'en fout des ancêtres !

— On ne se fout jamais des ancêtres, Marwan.

— Tu sais bien ce que je veux dire. Je vais faire comment moi, pour aller sur sa tombe ? Et Foued ? Et Maman ? Et Ali ? On ne pourra jamais lui rendre visite quand on voudra, quand on aura besoin de lui parler. C'est de l'égoïsme. Foued lui en veut beaucoup. Quant aux ancêtres, on n'a même pas connu le père de notre père ! C'est toi notre grand-père ici !

Je renifle mon émotion. *Pleure si tu as besoin*, me murmure Kabic en se levant de son fauteuil pour me rejoindre dans la cuisine, *pleure, c'est normal. Mais n'en veux pas à ton père. Il est né à Casa, il est de Casa, il reposera à Casa*. Kabic m'enlace de son affection. L'odeur de tabac me pique le nez et les yeux. Je tousse malgré moi et m'extirpe doucement de son réconfort. *Quand pars-tu ?* me demande-t-il. *Et ta mère et tes frères ?* Je réponds que j'ai un vol le lendemain et que la compagnie d'assurances se chargera de tout en ce qui concerne le cercueil. Les autres descendront dans la voiture d'Ali en passant par l'Espagne. Ce sera confortable, Ali a une grosse cylindrée, un 4 × 4 allemand avec l'air conditionné.

— Et les sœurs de ton père ? Et ta grand-mère ? On les a prévenues ?

— Ali va s'en charger.

— Ali ?

— C'est lui qui s'est proposé. Maman n'a pas la force. Elle n'est pas sûre de trouver les mots si elle avait Mi Lalla au bout du fil. Elle dit que perdre un mari ou un père, c'est dur, mais que perdre un fils ça ne devrait pas arriver.

— Elle a raison, dit Kabic en baissant le regard, songeant au sien, le père d'Amine, qu'un incendie lui a arraché.

Je verse le thé. Kabic écrase son mégot, se penche pour attraper ses lunettes, puis se dirige vers l'entrée. Il ouvre le petit placard qui cache le compteur d'électricité et en sort une boîte à chaussures toute cabossée. Il en scotche le couvercle afin qu'il reste en place. *Tiens*, me lance-t-il. Il pose la boîte sur la table en laiton et recouvre mon graffiti d'enfant, *tu donneras ça à ta grand-mère, c'est normal que ça lui revienne*. Je lui demande ce qu'elle contient. *Du passé, rien que du passé. Ça lui fera du bien et ça l'aidera dans son deuil*. Il laisse retomber sa lassitude dans son fauteuil usé, en soupirant une bouffée de fumée. Je bois une gorgée de thé.

— Kabic, pourquoi c'est moi qu'il a désigné pour l'accompagner ?

— Parce que tu es l'aîné, c'est toujours l'aîné des fils qui s'occupe de ça. Même si je doute que ta mère vous laisse faire la toilette mortuaire, à toi et tes frères.

— Elle veut s'en charger seule. Je lui ai demandé si elle souhaitait que je l'assiste, mais elle a dit non.

— Je comprends, il n'y a qu'elle qui connaisse les défauts de son corps et de son âme.

La toilette mortuaire, c'est une tradition chez nous, les Musulmans. Une purification en quelque sorte, avant de se présenter devant Dieu. En principe, un homme fait la toilette d'un défunt, et une femme celle d'une défunte. J'ai voulu appeler un des laveurs de morts de la Mosquée de Clichy, mais Maman tient à s'en occuper elle-même, comme la tradition lui en donne le droit en tant qu'épouse. Elle veut s'assurer que le corps de mon père sera bien lavé, parfumé et enroulé dans un linceul de coton avant que les autorités sanitaires françaises ne scellent son cercueil.

— Je ne suis pas l'aîné. Pas plus qu'Ali.

— Bien plus qu'Ali.

— Nous sommes jumeaux !

— Tu es l'aîné dans ton âme. Ali le sait, et son âme est jalouse.

Kabic me sourit par-dessous ses lunettes. Il se réchauffe les mains avec le verre de thé bouillant, souffle sur la surface et prend une petite gorgée. *Tu fais bien le thé, comme ton père, comme ton grand-père aussi*. Nous restons ainsi plusieurs minutes à partager nos pensées en silence et à boire du thé. Je me demande comment va Ali. C'est un truc de jumeaux. On se demande toujours si l'autre ressent la même chose, au même moment que soi. Ça fait du bien de savoir qu'un être identique souffre aussi quand on souffre. Une espèce de sadomasochisme que seuls les jumeaux sont capables de s'infliger. Ali n'a sûrement pas pleuré, ou alors seul car il ne supporterait pas la compassion de Bérangère. Moi, j'ai bien failli, quand Mademoiselle Soulages m'a regardé avec ses yeux pleins de larmes. Je me suis dit *vas-y, c'est le moment, elle ne dira rien et tu pourras enfin poser ton front sur une épaule*. Mais elle a hésité, alors moi aussi.

Kabic abandonne son verre vide sur la table et se lève de nouveau pour chercher une autre boîte à chaussures, dans sa chambre cette fois, qu'il pose à côté de la première.

— Tu m'as dit que ton avion partait quand ?

— Demain.

— Prends ça, dit-il en sortant plusieurs billets de banque de la boîte, et achète-moi une place à côté de toi. Je veux vous accompagner, toi et ton père.

# 10

À cinq heures quarante-sept ce matin, j'avais déjà les yeux ouverts. J'ai quitté mon lit et je me suis planté devant la fenêtre de ma chambre. J'ai collé mon nez contre la vitre et, dans la buée de mon propre souffle, j'ai regardé naître le jour.

De ce jour, le dernier de mon père en France, je veux me souvenir de chaque minute. Ce jour où on l'enfermera dans une boîte hermétique que l'on vissera avant de l'emporter pour le rendre au Maroc, je sais que, plus tard, je voudrai en oublier chaque minute.

Le café est amer. Noir. J'en prends deux tasses. Il est six heures quatre. J'ai réglé le réveil pour six heures et demie alors je me perche sur un tabouret et j'attends que la sonnerie me sorte de ma torpeur. Depuis la cuisine tout étriquée de mon appartement, au huitième étage d'une de ces presque-tours qui longent la voie ferrée, on domine les trains qui se disputeront bientôt les quais de la gare Saint-Lazare. Ils sont déjà quelques-uns à s'entasser dans les wagons, ceux pour lesquels aujourd'hui n'est qu'une journée ordinaire. Les salauds…

À cette heure-ci, il serait déjà levé. Certains matins d'école, quand le garage lui en laissait le temps, il se glissait dans notre chambre à Ali et à moi, s'asseyait sur une chaise près de nos lits et sifflait. Il sifflait doucement pour nous tirer de nos rêves. Ainsi me suis-je souvent réveillé au son des idoles de mon père : Dalida, Michel Berger, Charles Aznavour, Julien Clerc. Cabrel, *Je l'aime à mourir* chantonné après qu'Ali lui avait raconté le fiasco de son premier baiser avec Elsa Cardo, en cinquième. Ali n'avait pas perçu l'allusion, mais moi je me tordais de rire sous les draps. Maintenant que j'y repense, peut-être qu'il n'y en avait pas, d'allusion. Peut-être que c'est simplement moi qui veux croire qu'il nous connaissait bien. Non. Je sais qu'il nous regardait grandir. Et puis, il était très moqueur, mon père ! À moi, il avait un jour sifflé *L'Amérique* de Joe Dassin parce que je ne cessais de répéter que je voulais devenir américain. Pour l'enfant que j'étais, les États-Unis c'était la liberté, un pays où les gens de toutes les couleurs se mélangeaient et tout le monde s'en fichait. En tout cas de ce qu'on en voyait à la télé. Il m'avait dit *tu sais mon fils, c'est bien d'être marocain, c'est bien d'être français et c'est bien d'être les deux comme toi et tes frères. Ça prend un peu plus de temps, c'est tout.* Hier soir, j'ai placé une chaise près de mon lit. Personne n'est venu siffler.

La sonnerie du réveil me fait sursauter. Il est six heures et demie. La compagnie d'assurances a confirmé que mon avion décollait à quatorze heures quinze de Roissy-Charles-de-Gaulle. Air France. Kabic a eu l'air content. Je lui ai demandé pourquoi et il a répondu qu'il était impossible d'attendrir une hôtesse de Royal Air Maroc, mais qu'avec Air France on aurait peut-être une chance. Je n'ai pas compris ce qu'il voulait dire alors j'ai marmonné *ah bon*.

Hier, je suis passé voir le Dr Delorme pour qu'il me mette en arrêt maladie. Il a dit *pour votre père, je tiens à vous rassurer, on n'aurait rien pu faire*. Je me suis demandé si c'était moi qu'il tenait à rassurer ou bien sa propre conscience ; comme pour me rappeler que les limites de la médecine sont celles que lui imposent les patients. J'ai répondu que je comprenais, mais que je m'en voulais de ne pas avoir été plus réactif. Je crois que mes remords et mon air accablé l'ont décidé à me donner quinze jours d'arrêt pour stress, ce qui, après huit semaines de vacances d'été était un peu tiré par les cheveux, mais je n'allais pas le lui dire. J'ai ajouté le papier qu'il m'a tendu au formulaire de Mademoiselle Soulages et j'ai posté le tout en sortant de son cabinet. En rentrant chez moi, j'ai pleuré pendant plus d'une heure. Les larmes coulaient sans que je puisse y faire quoi que ce soit. Ça ne m'était jamais arrivé. Puis je me suis couché et j'ai dormi quatorze heures. C'est sans doute pour ça que je n'ai pas eu besoin de réveil pour m'extirper du lit ce matin.

J'ai préparé ma valise hier soir, comme mon cartable quand j'étais petit, afin de ne rien oublier. La météo annonce vingt-huit degrés à Casa. Ça m'a fait bizarre de ressortir les vêtements d'été que je portais au Portugal, les t-shirts, les shorts, les pantalons en lin. Je les avais déjà rangés jusqu'à juillet prochain. J'ai tout mis dans la valise, sauf mon maillot de bain. J'ai eu l'impression étrange de repartir en vacances. Je m'en suis voulu de penser comme ça. Je ne savais pas quoi emporter pour l'enterrement, c'est mon premier. En France, je m'habillerais en noir ou en gris, mais qu'est-ce qu'on porte au Maroc pour un enterrement ? Une djellaba blanche, je crois. Je ne voulais pas appeler Maman pour lui demander, on aurait tous les deux fini en larmes. Kabic ? Non. Je ne sais pas pourquoi, mais ça me gênait de lui poser la question. Alors j'ai attendu jusqu'à ce matin pour envoyer un SMS à Ali.

Comment ça ??

Tes fringues, tu prends quoi ?

Marwan, il est 6 h 40 du mat ! Je dormais !

Désolé. Alors, tu prends quoi ?

Je ne sais pas ! Un costard sombre, une cravate. Comme pour le boulot... LOL

LOL ? Il a écrit LOL. Moi qui me bats pour que mes élèves cessent de s'exprimer à coups d'acronymes, je regarde son message avec une pointe de consternation. À quel moment peut-on recommencer à utiliser LOL après un décès ? À quel moment a-t-on le droit de plaisanter, de rire, de LOLer ? De vivre à nouveau ?

Je jette une chemise noire et un pantalon gris dans ma valise. Ils détonnent au milieu des couleurs vives de mes vêtements d'été. Lorsque ce sera mon tour de partir, j'exigerai que tout le monde porte des couleurs gaies. Je me demande depuis quand mes parents préparent leur enterrement ? Toute cette organisation ! Peut-être que je devrais rédiger mon testament. Pour quoi faire ? Je n'ai pas le moindre patrimoine. J'y songerai quand j'aurai des enfants. On évoquait rarement la question des enfants avec Capucine, *j'ai pas le temps, tu comprends ?* Qu'est-ce qu'elle voulait dire ? Pas le temps d'en parler ? D'en faire ? Peut-être avec son banquier breton. Je m'imagine qu'elle a passé la soirée chez lui, qu'elle est dans ses bras ce matin. Qu'ils sont en train de faire un enfant. Hier Foued m'a demandé si Capucine venait à Casa pour l'enterrement, il y a la place dans le 4 × 4 d'Ali. J'ai dit *non, elle est partie*. Il a eu l'air surpris.

— On dirait pas.

— Pas qu'elle est partie ?

— Pas que tu t'es fait plaquer, Marwan. Pourquoi tu ne me l'as pas dit ? Si Samira m'avait plaqué, je serais super triste.

— Plus triste que pour Papa ?

— Non, mais super triste.

— Il y a des chagrins prioritaires, Foued. Des capucines, il y en a plein les bords de route.

Je prends ma douche et je m'habille ; un jean et un t-shirt. Je ne suis pas retourné souvent au Maroc depuis que je suis adulte. J'ai très peu de bons souvenirs de là-bas ; nos cousins se moquaient tout le temps de nous en arabe et on devait toujours leur laisser nos jouets en partant sous prétexte qu'ils ne pouvaient pas trouver les mêmes sur place, ou alors à un prix exorbitant. Une seule fois, après mon bac, j'y suis allé seul. Les cousins m'appelaient le touriste parce que je me baladais en short le long de la jetée qui mène à la Mosquée Hassan II. Au fond ils avaient raison, c'est ce que je suis. Un touriste. Je retire le short de ma valise, par respect pour mon père et pour Mi Lalla. Et puis aussi pour ne pas endurer les moqueries des cousins. Je suis content que Kabic m'accompagne. Il saura me prêter ses mots en arabe quand mes étreintes ne suffiront plus pour consoler Mi Lalla. Il la connaît depuis longtemps. Kabic, c'est le lien entre elle, mon père, mon grand-père et nous. Nous, les Parisiens. Ma pauvre petite grand-mère qui n'a jamais pu s'exprimer autrement qu'à coups de baisers et de tajines. Finalement, c'est elle qui a raison, à quoi bon le reste ? Comme je regrette de ne pas mieux parler marocain !

Kabic veut que nous nous retrouvions à l'aéroport bien en avance. Je n'ai pas discuté. Je sais que les personnes âgées sont anxieuses. Il a soixante-quinze ans après tout. J'ai peu dormi et rêve de retourner me coucher. Je rattraperai mon sommeil dans l'avion. Quand j'ai cherché un billet pour Kabic, il ne restait que des sièges en classe affaires. C'était cher, je ne savais pas comment le lui dire.

— Il y a assez d'argent dans la boîte que je t'ai donnée ?

— Oui, largement !

Il a tiré sur sa cigarette, puis murmuré sa réponse dans une bouffée de nicotine.

— Alors tu prends la classe *affire*. Je veux le meilleur pour ton père.

Je n'ai pas osé répondre que mon père voyagerait dans la soute. Puis j'ai songé que Kabic est arrivé en France sur un cargo. Il n'a pas volé sa classe affaires.

Nous nous sommes donné rendez-vous au comptoir Air France. Kabic n'a pas de téléphone, alors c'est un peu comme un enfant, il faut convenir d'un endroit où se retrouver au cas où l'on se perde. Il est déjà là, seul dans le brouhaha de Roissy-Charles-de-Gaulle, une valise en croûte de cuir à ses pieds. J'ai honte, j'aurais dû lui proposer de venir le chercher mais je suis passé embrasser ma mère avant de partir et lui souhaiter bon voyage. Ali, Foued et elle prendront la route un peu plus tard cet après-midi. *Ne t'inquiète pas, Amine et Aïcha m'ont accompagné en voiture*, me lance-t-il en souriant.

Il a l'air davantage reposé qu'hier. Il me dit avoir trouvé le sommeil en pensant à tous les moments heureux qu'il a partagés avec mon père et aussi le père de mon père. Il allume une cigarette avec son briquet BIC aux reflets ternis. Je regarde autour de nous, inquiet ; on n'a pas le droit de fumer dans l'aéroport. Il se rend compte de ma gêne. *Rassure-toi, quand on est vieux comme moi, personne n'ose te faire la leçon*. Il se mouille l'index et, d'un pincement de doigts, éteint sa cigarette à peine entamée avant de la replacer dans le paquet. Il rit dans un dernier nuage de fumée, songeant à une anecdote sans doute, puis dodeline de la tête avant de lancer *donne-moi ton billet et attends ici une minute*. Je lui remets le billet que j'ai imprimé sur Internet et le regarde s'approcher du comptoir Air France, le chagrin au bord des lèvres. L'employée d'Air France, une très jolie maghrébine en tailleur bleu marine, s'adresse à lui. De là où je me tiens, perturbé par le passage constant des voyageurs, je n'entends pas ce qu'ils se disent mais je vois Kabic partir dans une émouvante diatribe, une main sur le cœur et l'autre me désignant de loin. La jeune femme tire sur son cou pour m'apercevoir et me sourit tristement. J'hésite à lui faire un signe amical de la main. Elle est hypnotisée par Kabic qui lui tend mon billet d'avion, puis le sien, sans cesser de parler. Elle les étudie, relève la tête avec attendrissement, dit un mot à sa collègue avant de taper sur le clavier de son ordinateur pendant un long moment. Kabic se tait. Elle passe un coup de fil, un autre, puis un sourire illumine son visage. Elle remet un document à Kabic qui lui saisit la main et la pose sur son propre cœur. Il la remercie avec toute la reconnaissance d'un vieux Monsieur à qui on aurait cédé son siège dans le métro, puis trotte vers moi, ravi.

— Tu lui as dit quoi ?

— Que tu étais mon petit-fils et qu'on rentrait pour enterrer ton père.

— C'est ça qui l'a émue ?

— Oui, et c'est ça qui fait qu'on va voyager côte à côte. En classe *affire*.

# 11

C'est la première fois que je tourne à gauche en embarquant dans un avion ; je n'ai jamais voyagé en classe affaires. Kabic non plus mais on dirait qu'il a fait ça toute sa vie tant son aplomb est désarmant. Il demande, avec sa douceur habituelle, un verre d'eau plate au steward avant même de s'asseoir. *Bien sûr Monsieur*, s'empresse de répondre celui-ci avant de se tourner vers moi. *Et pour Monsieur ?* Comment ? *Plate ou pétillante ?* Je suis surpris de cette politesse inhabituelle. Je balbutie *pétillante, si ça ne vous dérange pas*.

— C'est l'argent qui fait ça, murmure Kabic en s'installant dans son siège.

— Quoi ?

— La soudaine prévenance pour deux types basanés comme nous. Il doit nous prendre pour des nababs…

Je ne réponds rien. Il y a chez Kabic un cynisme qui me fascine depuis l'enfance, mélange de sagesse et d'honnêteté dénuée de revanche, que seules les années savent enseigner. J'envie souvent sa faculté de se contenter du minimum, de ne souffrir d'aucun manque, de faire face aux situations les plus difficiles avec un stoïcisme discret.

Le jour de nos dix ans, il nous a offert, à Ali et à moi, une carte de la bibliothèque municipale. Lui n'est jamais allé à l'école. Il a appris à lire tout seul, en déchiffrant les pages de *L'Écho du Maroc* ou du *Matin* qui remplumaient les paillasses sur lesquelles mon grand-père et lui peaufinaient leurs rêves. C'est parce qu'il parlait et lisait le français que Kabic a trouvé un travail à Paris. À l'époque on ne proposait pas aux ouvriers de suivre des cours du soir pour évoluer dans l'entreprise. Et encore moins aux immigrés qui étaient, pour la plupart, illettrés. La CGT les aidait un peu en organisant des cours d'alphabétisation les samedis et dimanches à la Bourse du travail, assez pour lire mais pas pour suivre des études. Et puis il fallait gagner sa vie. L'université, c'était pas pour les manœuvres. La bibliothèque non plus, mais Kabic avait été mordu par la passion de la lecture. Il ne s'est jamais laissé dissuader par les railleries des autres blouses grises à la cantine de l'usine. Pourtant, les commentaires fusaient tant et plus lorsqu'il sortait un livre et s'isolait dans un coin pendant les quinze dernières minutes de la pause déjeuner. Ils avaient beau se moquer, tout le monde le respectait chez BIC et dès qu'il y avait un dossier de retraite à remplir ou une lettre à la banque à écrire, c'est à lui qu'on s'adressait. La blouse que Kabic a portée pendant cinquante ans est rangée dans une commode Ikea depuis sa retraite, aux côtés du *Paris Match* qui l'a rendu brièvement célèbre. Ce sont ses reliques à lui. Lui qui a traversé la vie sans diplômes, sans carrière et sans le sou ; Diogène marocain échoué à Clichy. Il a pourtant guidé mes pas, ceux de mes frères et ceux de mes parents qui n'auraient jamais quitté leur destin si Kabic n'avait, le premier, creusé un sillon d'espoir vers la France.

En France, Kabic a connu le malheur. Le cancer lui a d'abord arraché sa femme, puis quinze ans plus tard il a perdu son fils et sa belle-fille dans l'incendie de leur immeuble. J'étais si petit, je ne me souviens pas de grand-chose. Il ne lui reste que son petit-fils, Amine, aujourd'hui. Et puis nous. Mon père disait souvent que Dieu s'acharne sur les meilleurs. *Pourquoi Il ne tue pas directement les méchants ?* avait demandé Ali. *Je ne sais pas Ali. Je Lui demanderai quand je Le verrai*, avait-il répondu dans un sourire.

La bibliothèque municipale, mon père passait devant tous les jours pour aller et rentrer du travail, mais jamais aux heures d'ouverture. Il lisait peu et mal et en souffrait. Ça ne l'empêchait pas d'être philosophe, un philosophe sans mots mais pas sans vérités. Combien de Voltaire finissent mécaniciens parce qu'ils sont nés plus près d'un garage que d'une école ? Lui aussi a mené une existence frugale en honneurs et en richesses. L'amour de ma mère était son unique privilège et, pour lui, c'était plus précieux que tout le reste. Et le voilà qui rentre au Maroc dans la soute d'un Airbus, bagage anonyme au milieu des autres…

Et ma mère ? Ma pauvre petite mère ! Quand je suis passé lui souhaiter bon voyage, elle repassait les chemises de mon père, en pleurs. Je l'ai prise dans mes bras et elle s'est effondrée.

— J'tourne en rond depuis trois jours, Marwan, comme une poule qui cherche un ver. J'range, j'dérange, j'plie, j'déplie, j'replie, si j'm'occupe pas, j'deviens folle ! J'ai passé quat' fois l'aspirateur. Tout l'monde, il vient distraire mes larmes mais quand ils partent, l'reste qu'le vide et l'souvenir.

— Pose ces chemises Maman, ça peut attendre.

— Ça fait trente ans que j'lui r'passe ses chemises. Tous les mercredis. Si j'continue pas les habitudes, bientôt z'aurez un père au cimetière et une mère à l'asile.

Puis elle a écrasé le col d'un coup de fer.

Puis encore.

Encore.

Et encore.

Les larmes, qui glissaient le long de ses joues, s'évaporaient en pâles auréoles au contact du tissu brûlant.

Elle n'a pas lavé la dernière, celle qu'il portait le jour de sa mort, *parce qu'elle est encore tout imprégnée de sa vie*. Elle l'a pendue à un cintre qu'elle a accroché à la fenêtre de leur chambre. *Depuis trois jours, j'vois son âme l'matin, dans la lumière du soleil.*

Le steward interrompt ma mélancolie. Il pose un verre sur chacune de nos tablettes dans un geste théâtral. Ce sont des verres en verre. C'est idiot, mais ce détail renforce l'impression de luxe alors que je bois tous les jours dans des verres en verre chez moi. *Eau plate pour Monsieur*, articule-t-il avec emphase avant d'ouvrir une bouteille d'eau d'Évian, en verre elle aussi, et d'en verser à Kabic, puis se saisissant de mon verre pour le remplir de bulles de Badoit, il déclame en ouvrant chaque voyelle, *et pour Monsieur, eau pétillaaaante.* Sa main aux ongles manucurés place le verre devant moi. *Ces Messieurs désirent-ils autre chose ?* Kabic répond non merci d'un signe de la main.

En dehors de ma boulangère (*et pour Monsieur ce sera quoi ?*) personne ne m'appelle jamais Monsieur. Mes parents m'appellent mon fils, mes frères et amis, Marwan, et au lycée c'est Monsieur Mansouri, mais Monsieur sans rien après, jamais. Surtout pour me demander ce que je *désire* ! D'ailleurs ai-je jamais *désiré* quoi que ce soit dans ma vie ? J'ai souhaité beaucoup de choses et souvent, mais *désiré* ? Même Capucine, je me demande si je l'ai désirée. Sexuellement, peut-être, mais au-delà de ça je me rends compte que je ne l'ai que souhaitée, du souhait qui, lorsqu'il est déçu, fait dire *dommage* là où le désir éconduit fait dire *patience*. Non, je n'ai jamais désiré au point d'accepter que mon désir prenne des années pour se voir satisfait. C'est sans doute pour cela que je n'ai pas lutté quand Capucine est partie. Je souhaitais que l'on reste ensemble, cette routine me plaisait par son absence de questionnement, mais je ne désirais rien de cette relation. Mes parents aussi avaient un quotidien, mais leur amour n'était pas routinier. Ils désiraient s'aimer, s'aimaient et se désiraient. Une nuit je m'étais réveillé dans l'obscurité et j'avais trouvé Ali posté devant la porte entrebâillée de notre chambre. Nous devions avoir six ou sept ans. Il m'avait fait *chut* avec le doigt quand je m'étais approché.

— Tu fais quoi ?

— Écoute.

— C'est Maman qui gémit comme ça ?

— Oui.
— Qu'est-ce qu'elle a ?
— Je ne sais pas, avait dit Ali.
— Tu crois qu'on devrait réveiller Papa ?
— Idiot, il est avec elle dans la chambre, c'est lui qui la chatouille, avait répondu Ali en haussant les épaules.
Le sol était froid. J'avais éternué. Ali m'avait lancé un regard paniqué et nous nous étions rués sous nos couvertures. Un instant plus tard, mon père avait poussé la porte de la chambre et un rayon de lumière avait glissé sur mes yeux fermés. Je n'avais pas pu retenir un ricanement et un *aïe !* quand Ali m'avait donné un coup de pied. Mon père s'était assis sur le bord de mon lit.
— Tu es réveillé, Marwan ?
— Oui, et Ali aussi, Papa.
— Menteur ! s'était défendu Ali, je dors, moi, Papa !
— Qui a éternué ?
— C'est Marwan !
— Oui, mais je ne voulais pas te déranger pendant que tu chatouillais Maman.
Mon père avait éclaté de rire, puis il avait murmuré *je ne la chatouillais pas. Tout va bien. Dormez maintenant.* Et il était sorti de notre chambre en refermant bien la porte derrière lui dans un hoquet de rire.

— Kabic ?
— Oui, Marwan ?
— Tu as connu mon père enfant ?
— Il était à Casa avec ses parents et moi, à Paris.
— Parle-moi de lui.
— De ton père ? Paix à son âme.

— Oui.

— Commençons par ton grand-père.

Il a raison. Mon grand-père m'est complètement inconnu. Mon père ne parlait jamais de lui et ma grand-mère ne m'en parlera pas non plus. Kabic prend une gorgée d'eau puis pose la main sur la mienne.

— Tu veux vraiment connaître toute l'histoire ?

— Oui.

— Parce que je vais te dire des choses que même ton père ne t'a jamais dites.

— Des choses graves ?

— Des choses du destin.

— Tu parles toujours par énigme.

— Ce n'est pas un hasard si c'est toi que ton père a choisi pour l'accompagner. Ce n'est pas un hasard si tu m'as demandé de te parler du passé. Et ce n'est pas un hasard si Dieu nous a donné des sièges aussi confortables.

Kabic ne dit plus un mot le temps du décollage. Je regarde par le hublot et laisse errer ma pensée. Je n'ai pas pris l'avion souvent ; uniquement pour me rendre au Portugal et à Casablanca. À chaque fois qu'on quitte le sol, je ne peux m'empêcher d'imaginer les titres des journaux si une catastrophe survenait : « Le Paris-Casa s'écrase dans les Pyrénées, cent vingt-huit morts » ou pire « Aucun survivant » ; ou pire encore « Horreur dans les Pyrénées ! ». « Cent vingt-huit morts », ça représente quelque chose, un passé, une individualité, une vie, certes perdue au milieu de cent vingt-sept autres, mais tout de même une vie qui a compté et qui est comptabilisée. Alors qu'un titre du style « Aucun survivant », c'est comme si mon être avait fini son existence dans l'amalgame anonyme d'une tragédie lointaine ; un tremblement de terre, un tsunami, un typhon ou une bombe. Quant à « Horreur dans les Pyrénées ! », on imagine un journaliste tellement blasé qu'il suppose, sans doute à raison, que ses lecteurs seront davantage touchés par la précision géographique que par le drame humain ; cette obsession de relier les événements du monde à notre propre existence pour qu'elle nous paraisse moins étriquée. *Les Pyrénées ? Mon Dieu, chéri ! C'est juste à côté de là où on est allé skier il y a dix ans. C'est terrible ! À dix ans près, ça aurait pu être nous !*

Un peu comme le SMS que Capucine m'a envoyé au moment où je montais dans l'avion.

> J'ai appris pour ton père. C'est soudain ! C'est horrible ! Tu as dit à tout le monde qu'on n'était plus ensemble, je suppose.

Cette dernière phrase renfermait toute l'amertume d'un *si seulement*. Notre rupture lui ôtait toute possibilité de jouer la douleur, de souffrir de me voir souffrir, pleurer de me voir pleurer. Elle n'avait jamais eu le meilleur et on la privait à présent du pire. Je percevais dans son message sa déception d'être passée si près du drame et des larmes. Si près de moi.

## 12

*Ton grand-père, c'était la gaîté de Sidi Moumen,* raconte Kabic. *Il avait toujours le sourire et savait se faire aimer et respecter de tous. Il paraît que les vieux de Sidi Moumen prononcent encore son nom avec la nostalgie sur les lèvres. C'était un grand conteur. Un très grand conteur ! Quand il se lançait dans une histoire, les mots jaillissaient de ses yeux, de sa bouche et de ses mains. Le rire devenait contagieux. On avait beau être démuni, on lui donnait toujours une orange par-ci, une poignée de dattes par là pour le remercier. Il avait à peine treize ans et n'était jamais allé à l'école, pourtant on accourait de tout le quartier pour écouter ses histoires sous le grand oranger de Sidi Moumen. Un jour le boulanger a brûlé sa fournée de midi parce que ses petits cheminots avaient rejoint tout le monde sur la place, en oubliant le pain. Les petits cheminots c'est comme ça qu'on appelait les gamins qui jetaient jour et nuit du bois sous le four du boulanger, même par la plus grande sécheresse, quand la poussière était épaisse à faire tousser les morts. Je me demande ce qu'il sont devenus ; leurs gueules noires riaient toujours plus fort que celles des autres. Ton grand-père, je sais pas d'où lui venait cette joie de vivre. Allah donne la mélancolie aux nantis et l'espérance aux miséreux.* El hamdoulilah, *la misère s'était bien acharnée sur son berceau en laissant peu de place à l'espérance. Mais peu, c'est déjà mieux que rien. Nous sommes nés à un jour d'écart, lui et moi, tu sais ça ? Tu enseignes l'histoire de France, Marwan, mais celle du Maroc, peut-être que tu l'as jamais entendue ; parce que les Français, ils écrivent ce qu'ils veulent. Je les ai lus leurs bouquins, à la bibliothèque !*

Un jour, Madame Laumier, la documentaliste du collège, m'a tendu un ouvrage sur *Matisse au Maroc* en pensant me faire plaisir. *Vous serez surpris de voir comment il percevait votre beau pays !* Elle a dit ça avec tellement de gentillesse que je n'ai pas osé répondre que mon pays, c'est ici, et qu'elle n'aurait jamais tendu une biographie de Lech Walesa à ma collègue dont les parents avaient fui la Pologne pour le Pas-de-Calais dans les années quatre-vingt. J'aime bien Matisse, alors j'ai feuilleté l'album dans la salle des profs. Dans la première partie, une série de tableaux pompiers représentaient des Arabes avachis sur des divans, prenant le thé avec de faux Napoléons III en uniforme. Après ça, il y avait cinq pages d'affiches de l'Exposition Coloniale truffées de portraits du bon Maghrébin en turban, du bon Africain rigolard et du bon Indochinois sous son chapeau pointu. Et enfin des photos des toiles et dessins de Matisse, pour qui le Maroc se résumait à des femmes alanguies, souvent les seins à l'air, sur fond de mosaïques de toutes les couleurs ou à des paysages au ciel résolument bleu et aux maisons résolument blanches que seul un âne ou un dromadaire paresseux venaient rendre vivants. Pas surprenant que les touristes réclament encore aujourd'hui ce genre d'images en débarquant à Marrakech ou à Tanger ! Ils rêvent d'un Maroc du XIX$^{e}$ siècle et ne sont pas préparés au choc du Maroc contemporain.

*Et ta famille ? Son histoire ? Tu veux la connaître ? Ton père m'a demandé de la lui raconter une fois, mais il n'a pas supporté. Il y a des hommes qui vivent de vérité et d'autres de souvenirs. Ton père préférait les souvenirs, même un peu mensongers.*

Je pose ma main sur celle de Kabic. *Je suis de la génération qui a besoin de la vérité.* Il hoche la tête, regarde l'horizon un long moment par le hublot, puis reprend son récit.

*Quand ton grand-père est mort, que son âme soit bénie, j'ai essayé de me rappeler depuis combien de temps je le connaissais. Je vivais à Paris depuis plusieurs années quand j'ai appris son décès. C'est ton père qui m'a écrit depuis Casa pour me l'annoncer. Le temps que je reçoive la lettre, on l'avait déjà enterré. J'ai entamé le deuil de mon meilleur ami tout seul et avec vingt-cinq jours de retard. J'ai pleuré longtemps, pas parce que je n'allais plus le revoir – mourir, c'est un peu dire à bientôt – non, j'ai pleuré parce que je n'arrivais plus à me rappeler la première fois que je l'avais vu, le premier mot que l'on s'était dit. C'est peut-être ça la véritable amitié, cette impression que l'autre a toujours été là. Pourtant je me rappelle dans les moindres détails la première femme que j'ai aimée. C'est injuste. Ton grand-père, c'était le frère que mes parents ne m'ont pas donné. Je le revois encore sur le port de Casa, debout aux côtés de ta grand-mère, deux étés avant sa mort, pour me souhaiter bon voyage.* El hamdoulilah ! *Ce souvenir-là, il est gravé !* Kabic s'embrasse la main droite puis la pose sur son cœur.

J'ai un soudain coup de chagrin. Je ne me souviens ni des derniers mots de mon père, ni de ce que je lui ai répondu. Quand je suis allé dire au revoir à Maman et qu'elle repassait ses chemises, je lui ai demandé des détails sur ce qui s'était passé. Elle m'a dit entre deux sanglots qu'elle l'avait simplement trouvé dans la petite chambre, tout seul, et qu'il avait l'air en paix. Tout cela n'a de toute façon pas de sens, les circonstances, mais j'ai compris qu'elle l'avait embrassé la veille au soir en murmurant en arabe *repose-toi, à demain.*

— J'lui ai même pas dit *ken brik min koul kalbi*, que je l'aimais de tout mon cœur.

— Mais il le savait Maman.

— Oui tu as raison, il l'savait. Mais j'lui ai pas dit ! Il est parti et j'lui ai même pas dit une dernière fois que je l'aimais.

Et moi, je lui ai dit quoi la dernière fois que je l'ai vu ? Que j'avais passé des vacances formidables au Portugal ? À lui qui n'a connu que le Maroc et Clichy.

— C'est bien mon fils, je suis content que tu voyages. Un jour il faudra que tu découvres le Maroc par toi-même.

— Oh, arrête avec ton Maroc, Papa !

— C'est le tien aussi, si tu veux.

— Non justement, ce n'est pas le mien, ni celui d'Ali ou de Foued. Notre Maroc à nous, c'est de se faire emmerder par les douaniers marocains parce qu'on leur présente un passeport français et de se faire rouler par les chauffeurs de taxi parce qu'on parle pas bien l'arabe !

— Tu connais le Portugal et l'Andalousie, mais tu n'es jamais allé à Tétouan, Meknès, Ouarzazate ou Moulay Idriss. Et Aït-Ben-Haddou ? La perle du désert. Tu devrais Marwan, tu devrais.

— Oui mais voilà, je suis français et quand on est français, on passe ses vacances en Bretagne, en Corse ou au Portugal. Ton Maroc a changé Papa, il n'existe plus !

La première fois que je me suis rendu seul au Maroc, à l'âge adulte, on a refusé de me laisser entrer avec mon passeport français, on m'a dit *ton père est marocain, tu es marocain, tu as forcément une carte d'identité marocaine.* On a confisqué mon passeport et on m'a mis de côté de manière humiliante pendant que tous les touristes européens passaient comme s'ils traversaient le périph'. Quand j'ai demandé ce qui se passait, on m'a répondu avec un sourire narquois et en arabe *attends, attends, tu n'es pas pressé, tu es chez toi ici. Pourquoi tu t'inquiètes ?* Pourtant les douaniers voyaient bien que j'étais né à Clichy et que je parlais à peine leur langue, ils voyaient bien que je n'étais pas rassuré, mais ils savaient que je ne pouvais pas faire d'esclandre. Ils savaient que même si je répétais que je n'étais pas marocain, je l'étais suffisamment pour savoir qu'on ne lutte pas contre le système quand celui-ci s'attarde sur soi. Comme lorsque les policiers français contrôlent mon identité à la sortie du collège en période d'attentats. Eux aussi questionnent l'authenticité de mon passeport. Eux aussi demandent quand je suis arrivé à Paris. *Je suis né à Paris, et vous ?* Eux aussi sont surpris quand mes élèves passent devant moi en demandant *tout va bien, Monsieur Mansouri ?* et que je leur réponds *oui, c'est juste un contrôle de routine* pour les forger à ce qui les attendra quand ils seront adultes. Après plus d'une heure à l'aéroport de Casablanca ce jour-là, on avait fini par trouver mon nom sur la liste des Marocains établis hors du Maroc. Un comble ! Je ne savais même pas que j'avais une carte d'identité marocaine ! *Si tu es fils de Marocain, tu es marocain*, m'avait ricané au nez le douanier en me tendant mon passeport français. Je suis né en France. Je n'ai jamais vécu au Maroc. Je ne me sens pas marocain. Et pourtant, où que je sois, en France ou au Maroc, je n'ai pas le choix de ma propre identité. Je ne suis jamais ce que je suis, je suis ce que les autres décident que je sois.

Je n'ai jamais raconté cette histoire ni à mon père, ni à personne. Je ne voulais pas de querelle. On s'était déjà tellement disputé au sujet du Maroc, le sien, celui de ma mère, de Kabic et personne n'était jamais d'accord. Ce soir-là, après mon retour du Portugal, je les avais embrassés, ma mère et lui, et j'étais rentré chez moi. J'aurais dû l'appeler après, pour m'excuser, pour lui dire que l'été prochain, on irait passer un mois là-bas tous ensemble, qu'il pourrait nous montrer son Maroc, que je comprenais que ça lui tienne à cœur. Que je l'aimais.

Que je l'aimais.

À la naissance du petit Gabriel, le fils d'Ali et de Bérangère, mon père avait émis le souhait que l'on fasse un tour du Maroc en famille. Ça ne me disait vraiment rien, mais Bérangère avait trouvé l'idée excellente et ajouté qu'il était important pour Jibril de garder un lien avec le pays d'Ali. J'avais été surpris de cette réflexion, surtout de la part de Bérangère que j'aime beaucoup. Le pays d'Ali, c'est la France. Ali avait alors projeté d'offrir ce voyage à mes parents pour leurs trente ans de mariage, Amine s'occuperait du garage et si on économisait pendant plusieurs mois, on pourrait tous y aller. J'avais fini par me rallier à l'idée, mais en l'apprenant Capucine s'était écriée *pas question que je vous accompagne en tout cas, c'est trop risqué en ce moment, tu comprends ?* et je m'étais chargé de dissuader tout le monde en prétextant que je n'y arriverais pas financièrement.

Je regarde le ciel par le hublot. On vient de passer Nantes, la ville où Kabic a débarqué en France.

*On n'était pas grands quand on s'est connus, c'est tout ce que je sais*, poursuit Kabic en me tirant de mes songes. *On traînait dans les ruelles de Sidi Moumen avec les autres gamins comme nous, souvent les mêmes d'ailleurs. Pas vraiment une bande parce que les deux seuls qui étaient inséparables c'était ton grand-père et moi. C'était le début des années cinquante, cinquante-deux peut-être. Casablanca était un énorme chantier. Pas notre quartier évidemment. Notre quartier, c'en était pas vraiment un, il s'étendait à l'arrivée de chaque famille arabe que le Protectorat délogeait pour tracer des avenues aussi larges que les Champs-Élysées. La plupart des habitants de Hay Sidi Moumen, de Karriane Ben M'sik, d'Ahl Loghlam et de tous les autres bidonvilles que la ville blanche avait créés passaient leur vie sur les chantiers de ces beaux boulevards ou à charger les bateaux pour Nantes ou pour Bordeaux. Leurs femmes, elles, s'occupaient seules de dizaines de gosses comme nous qui grossiraient la future main-d'œuvre du Protectorat. Je n'en veux à personne, tu sais. Sans les Français, Casa ne serait pas ce qu'elle est. Et puis, il y a eu tellement de bons moments !*

Les yeux de Kabic scintillent de joie à l'évocation de son enfance. Ils n'étaient pas malheureux, dit-il, leurs vies étaient pleines de petits bonheurs qui paraissent dérisoires aujourd'hui. *Aujourd'hui ce qui compte, c'est la voiture, la télé à écran plat et le téléphone dernier cri. Et pas qu'en France ! Je suis sûr que tu as reçu un email de tes cousins quand ils ont su que tu venais, non ?* Je n'ose pas répondre parce que Kabic a raison. Mon cousin Mo m'a écrit pour me dire qu'il pensait bien à nous et qu'il était désolé pour mon père, et puis en PS il a ajouté *puisque tu viens, si tu as le temps, tu pourrais m'apporter une cartouche de Marlboro ?* Il n'avait pas osé envoyer la liste traditionnelle que nous recevions avant chaque séjour au Maroc et sur laquelle, les dernières années, figuraient des smartphones, des iPads, et autres gadgets technologiques. Les cousins prétextaient toujours que, certes, ils pouvaient commander sur Internet, mais *on te pique tout, ici, à la Poste marocaine.* Les cinq ou six fois où nous étions descendus en voiture avec mon père, à travers la France, l'Espagne et la moitié du Maroc, je me souviens qu'il y avait toujours dans le coffre, à côté de nos valises, un carton que ma mère avait récupéré chez Franprix. Il contenait tous les articles soi-disant introuvables à Casa et que mes parents finissaient toujours par offrir généreusement puisqu'ils savaient qu'ils ne seraient jamais remboursés. Un fer à repasser, des plaques de cuisson, un sèche-cheveux, un lecteur de DVD et tout ce que *les Marocains*, comme Ali et moi appelions nos cousins, pouvaient nous soutirer. Bien entendu, c'étaient souvent des objets d'occasion et aucun site de vente sur Internet n'existait à l'époque. Les choses ont changé depuis, mais les *listes de commandes* n'ont pas disparu, elles sont juste devenues plus pointues. Il y avait aussi nos vieux jouets, nos vieux vêtements, mais cela a cessé à la naissance de Foued. Devant mon silence, Kabic hausse les sourcils *nous, on n'avait rien et quand on n'a rien, on joue au football à coups de pied dans une conserve vide et sous les cris de joie des copains. Une joie qu'on entendait jusqu'à l'océan !*

Kabic et mon grand-père ont fait les quatre cents coups, mais toujours en respectant les autres. *On n'a jamais lu le Coran, tu sais ? On apprenait quelques sourates pour pouvoir balbutier une prière à la mosquée, mais le respect, on l'a appris avec nos mères qui nous auraient roués de coups si on avait volé ne serait-ce qu'une orange ! Je te dis ça, pourtant des oranges, on en a chapardé beaucoup, mais on remplaçait toujours celle qu'on avait chipée la veille par une que l'on chipait le jour même et ainsi de suite. C'est pour la dernière qu'on avait un problème, mais on s'en faisait offrir une par une petite marchande d'agrumes qu'on aidait à tirer sa charrette. On était bien, à Sidi Moumen. Parfois on allait traîner dans le Maârif ou au parc Lyautey pour voir les Français jouer au football.* Le parc Lyautey aujourd'hui c'est le parc de la Ligue arabe, et personne n'y joue plus au football.

Kabic me raconte qu'à l'époque, on se serait cru dans n'importe quelle ville de métropole, la cohue en plus. Les luxueuses villas en bordure du parc abritaient les familles françaises et espagnoles les plus respectées de Casablanca dans une solennité tout occidentale, sous la silhouette blanche et rassurante de la cathédrale du Sacré-Cœur. *Il y avait peu d'automobiles. On allait plus vite à pied, de toute façon, en zigzaguant entre les charrettes à bras pleines à craquer, les cars de la CTM, la Compagnie de transport au Maroc, qui allaient à Tanger ou à Meknès et les taxi-calèches. Tu ne me croiras jamais, mais à l'époque, il y avait encore des dromadaires allongés sous les arbres, impassibles malgré les sonnettes stridentes des centaines de bicyclettes et les tourbillons incessants des garçons de café en tablier blanc ! Et des carrioles partout ! Ça, ça n'a pas changé. Elles croulaient sous les meules de foin, les briques, les bouts de tuyaux, les pneus et tout ce que les hommes peuvent empiler derrière un âne. Les écrivains publics s'asseyaient à même le trottoir et faisaient tournoyer le crayon entre leurs doigts pour attirer les clients et distraire leur ennui. Ma première leçon d'écriture, c'est l'un d'eux qui me l'a donnée. Tu aurais vu ça ! Je parlais à peine le français alors va essayer de l'écrire !* Kabic éclate de rire et s'essuie les yeux avec la serviette au logo d'Air France.

Les Français avaient installé un petit marché aux fruits et légumes au milieu du parc Lyautey. Tous les matins, Kabic et mon grand-père serpentaient entre les cabas sous les harangues des marchands en français et en castillan. Au milieu de ce brouhaha permanent, rythmé par le chant lointain des muezzins, des cris d'enfants parvenaient du petit théâtre de Guignol. Un vendeur de frites proposait des cornets aux promeneurs tandis que le *guerraba*, le colporteur d'eau typique du sud du pays, déambulait des uns aux autres. Il portait autour du cou une rangée de gobelets en laiton qui tranchaient sur son habit rouge et dont le tintement faisait écho à la clochette qu'il agitait sans cesse. De son chapeau, rouge lui aussi, pendait une frange de pompons multicolores. Il portait sur le dos une outre en cuir de chameau qui renfermait sa réserve d'eau. Il lui suffisait de la presser du coude, comme une cornemuse, pour que le précieux liquide jaillisse du petit tuyau qu'il gardait constamment à la main. Le mois du Ramadan, le *guerraba* disparaissait et le joyeux tintement qui l'accompagnait ne reprenait qu'une fois le soleil couché. Tout, dans sa tenue, fascinait les deux gamins. Ils avaient cependant rarement le temps de s'attarder s'ils voulaient arriver les premiers devant le Club sportif franco-marocain qui, malgré son nom, était réservé aux Européens. La concurrence était rude pour astiquer les chaussures des beaux messieurs qui quittaient le Club et s'ils n'étaient pas installés dès le matin, les petits cireurs mauritaniens leur piquaient la place. C'est comme ça que, dès l'âge de huit ans, Kabic et mon grand-père gagnaient leur vie.

*Personne ne nous posait de questions, on n'existait pas pour eux, on était des gosses, des Arabes, rien. Un jour, j'ai convaincu ton grand-père qu'on pourrait se faire plus d'argent en cirant les chaussures à l'entrée des cinémas. Il y en avait partout dans le centre : le Verdun, le Mirage, le Lynx, le Louxor. Les Français sortaient souvent et exigeaient que leurs souliers brillent pour épater leurs petites amies. On s'était installés devant le Vox. Je ne suis jamais rentré, mais la façade sentait l'argent, toute blanche, Art Déco et avec les lettres V, O, X monumentales alignées verticalement au-dessus de l'entrée. Il a été rasé depuis. C'était un grand cinéma à l'angle de la place de France. Il y avait des séances toute la journée, et les clients ne manquaient pas. On rêvait sous les affiches et on salivait devant les jambes des belles filles qu'on reluquait tout en cirant les pompes de leurs Don Juan. Et en plus ils nous filaient la pièce ! Ton grand-père était fasciné par les belles Américaines ; les filles comme les bagnoles !*

Kabic rit de bon cœur. À mesure que les anecdotes de son enfance s'égrènent, ses yeux brillent comme ceux du gamin devant le marchand de glaces. Il me raconte que parfois ils poussaient jusqu'à la piscine municipale, *la plus grande du monde ! Elle faisait au moins cinq cents mètres de long !* Il doit se tromper, cinq cents mètres, c'est immense ! On dit que tout paraît plus grand quand on est petit. Mon père m'a paru minuscule sur son lit de mort, lui qui me fascinait quand nous étions gamins, tellement il était robuste.

— Mon grand-père était comment physiquement, Kabic ?

— Tu veux dire quoi ?

— Je n'ai jamais vu de photo de lui jeune.

— On n'avait pas d'argent pour les photos à l'époque, tu sais. Tu as pris la boîte que je t'ai confiée pour ta grand-mère ?

— Oui, elle est dans ma valise.

— Bien. Rappelle-le-moi quand nous serons arrivés, il y a peut-être une vieille photo de lui dedans.

— Décris-le-moi, s'il te plaît.

— Je t'ai dit, c'était mon meilleur ami.

— Physiquement. Mon père lui ressemblait ?

— Non, pas du tout.

— Il était fort ?

— Ton grand-père était plutôt petit, sans doute parce qu'il n'avait pas eu beaucoup de vitamines en grandissant. J'étais plus costaud que lui, mais il avait une volonté incroyable. C'est lui qui a décidé qu'on émigre vers la France en 1961. On était dans les premiers. Les autres Marocains ont suivi en masse en 1963 seulement.

— C'est de ça que Mi Lalla est tombée amoureuse ? De sa volonté de fer ?

— Je ne sais pas. Il faudra le lui demander. Tu sais, en ce temps-là, et surtout chez nous, on ne tombait pas amoureux comme vous l'entendez maintenant.

À la piscine municipale, les deux chenapans collaient leur visage le long des grilles pour reluquer les Européennes et les Marocaines juives en maillots de bain. Pour eux, petits Musulmans de Sidi Moumen, tous ces corps qu'aucune djellaba ne recouvrait, ça valait toutes les leçons d'anatomie ! *Et pourtant les maillots de bain de l'époque étaient loin de ceux que l'on voit aujourd'hui dans les magazines*, me précise Kabic, *mais on n'arrivait pas à détourner les yeux des baigneuses. On se demandait comment elles pouvaient s'afficher devant tout le monde comme ça. Jamais nos mères et nos sœurs n'auraient osé, mais on ne se plaignait pas non plus ! Je te parle de 1953 ! On avait tout juste dix ans !*

Trois ans plus tard, c'était l'Indépendance et le Protectorat quittait définitivement le pays. Mais trois ans plus tard, c'était surtout l'arrivée du bikini et Kabic et mon grand-père passaient de plus en plus de temps du côté de la piscine où les belles Casablancaises se prenaient pour Gina Lollobrigida sur la Croisette à Cannes.

*On n'avait pas une existence facile, mais on ne s'en rendait pas compte. Pour nous, c'était la belle vie ! Et puis un jour, on devait avoir treize ou quatorze ans, mon père s'est tué en tombant de l'échafaudage branlant d'un immeuble en construction dans le quartier Bourgogne. Le lendemain, une charrette est venue déposer le corps devant chez nous. Ce que je gagnais en cirant les chaussures n'était pas suffisant pour faire vivre ma mère et mes sœurs. J'étais l'aîné, il fallait que je trouve un boulot et vite. Avec ton grand-père, on a sonné à toutes les portes ; les cafés pour débarrasser les tables, les restaurants pour faire la plonge, sur les chantiers pour porter les sacs de sable, mais personne ne voulait de deux gamins comme nous. Souvent on proposait du travail à l'un mais pas à l'autre. Plusieurs fois ton grand-père a voulu que je signe, lui se débrouillerait autrement, mais je ne pouvais pas m'imaginer être séparé de lui. J'avais perdu mon père, je ne voulais pas perdre mon seul ami. On avait beau dire qu'on était des hommes, on n'avait que quatorze ans, tu sais. Jusqu'au jour où un garagiste nous a proposé de former l'un d'entre nous pendant que l'autre s'occuperait de rabattre les clients et de nettoyer le garage. C'est comme ça que ton grand-père est devenu mécanicien et que j'ai dû me mettre au français sérieusement, pour pouvoir convaincre les automobilistes de venir faire réviser leur voiture chez nous. J'en ai crevé des pneus ! Je disparaissais ensuite dans la poussière du jour jusqu'au retour du propriétaire. Une fois qu'il était bien énervé, j'arrivais à la rescousse en lui indiquant la direction du garage. Certains étaient tellement reconnaissants qu'ils me glissaient la pièce ! Un jour, un Maltais m'a reconnu. J'avais crevé les pneus de sa Talbot quelques mois avant et il m'a poursuivi dans les ruelles du Mâarif. Je crois que je n'ai jamais couru aussi vite de toute ma vie. En quelques années, ton grand-père était devenu un champion de la mécanique et moi, de l'organisation. Après l'épisode du Maltais, je notais soigneusement les plaques d'immatriculation de toutes mes victimes pour éviter les doublons. Il gagnait beaucoup mieux sa vie que moi. Mais on était comme des frères et on mettait nos deux salaires en commun tous les mois pour les partager avec nos familles.*

Le soir, Kabic ramassait les journaux dont il se servait pour nettoyer les sols du garage au savon noir. Une fois rentré à Sidi Moumen, il aidait mon grand-père à améliorer son français en lui lisant des articles, mais celui-ci n'avait aucune facilité pour cette langue. Kabic ne s'énervait jamais. Il savait que les longues heures que son ami passait à trimer au garage pour gagner leur pain le fatiguaient et qu'il avait besoin de repos. Il s'en voulait de ne pas avoir le même talent de mécanicien que mon grand-père et de ne pouvoir contribuer que maigrement à la cagnotte qu'ils se constituaient tous les deux pour la traversée. Car ils avaient décidé d'émigrer ensemble vers la France, et une fois de l'autre côté de la Méditerranée, Kabic gagnerait mieux sa vie et il pourrait rembourser la dette qu'il estimait devoir à son ami.

## 13

Le chef de cabine annonce un atterrissage dans quarante-cinq minutes. Depuis notre départ, Kabic revit sa jeunesse. Cela fait deux heures que je l'écoute. Le passager dans le siège devant nous s'est retourné plusieurs fois l'air exaspéré ; notre conversation le gêne. Il regarde un film sur la télévision intégrée à son fauteuil, tout en jouant, d'un doigt, sur son téléphone. D'énormes écouteurs lui mangent les oreilles. Il n'entend sans doute rien de notre échange, tout au plus nos rires. Je me dis qu'il est jaloux que Kabic et moi profitions du confort de la classe affaires pour nous retrouver alors que lui partage sa solitude entre un casque et deux écrans. Il y a encore quelques jours, je me serais excusé auprès de ce type. Je lui aurais expliqué ma situation pour susciter sinon sa compassion, du moins sa compréhension, mais maintenant, ce qu'il peut penser m'est complètement égal. Depuis la mort de mon père, j'ai pris conscience que le temps qui passe, c'est le temps qu'il reste. Si je n'écoute pas Kabic, peut-être n'aurai-je jamais plus l'occasion d'entendre son enfance, son amitié avec mon grand-père, leur adolescence et les raisons qui les ont poussés à quitter le Maroc.

— Sauf que mon grand-père, lui, est resté à Casa. Il n'a jamais pris le bateau pour te rejoindre à Paris.

— Tu sais pourquoi ? demande Kabic.

— Oui, pour épouser Mi Lalla.

— C'est tout ce que ton père t'a dit ? dit Kabic en regardant ailleurs.

— Il y avait une autre raison ? Maintenant qu'il n'est plus là, quelle différence ça peut faire ?

— Il y a des secrets qui doivent reposer auprès des morts.

— Des secrets ? Mais quels secrets ?

— Laisse le temps les emporter, Marwan.

— Tu veux dire que mes frères et moi ne saurons jamais ? Quand tu m'as demandé tout à l'heure, je t'ai dit que j'étais de la génération qui a besoin de vérité. Pas de celle qui hérite des secrets !

Kabic ne répond pas. Il soupire. C'est la première fois qu'il se confie sur sa vie avec autant de détails. Il ne faut pas que je le bouscule. Lui aussi a été très secoué par la mort soudaine de mon père qu'il considérait comme son propre fils. Je sens qu'il a besoin de raconter son histoire à son rythme, afin que je ne la juge pas avec mes yeux contemporains et que je la replace dans le contexte économique, social et familial de son époque, comme je l'explique toujours à mes élèves. J'ai beau être prof, c'est lui qui me donne un cours d'histoire. L'histoire de ce pays dont j'ai hérité les gènes, les blessures et les complexes mais aussi celle de notre famille que les aléas du XXe siècle ont déracinée et replantée de l'autre côté de la Méditerranée.

Je vois bien qu'il veut que je comprenne que lui, mon grand-père, Mi Lalla et tous ceux qu'il a laissés sur le port, en embarquant pour Nantes en 1961, ont partagé un bonheur comme jamais il n'en a connu par la suite en France. *Peut-être parce que les joies de l'enfance sont celles qui restent gravées le plus longtemps dans la mémoire ou peut-être parce que la vie était plus facile à Casa du temps des Français qu'à Clichy chez les Français. Je ne sais pas et je suis trop vieux aujourd'hui pour m'en préoccuper. Mais toi, toi Marwan, tu dois laisser ta jeunesse guider tes pas. C'est la seule sagesse que l'âge m'a enseignée ; on a beau essayer, on ne peut jamais revenir en arrière. On ne peut jamais retrouver ce qu'on a perdu.*

Je souris à Kabic avec toute la tendresse dont il m'a nourri pendant mon enfance. Jamais je n'ai imaginé que ses yeux malicieux puissent masquer de la tristesse. Jamais je ne me suis inquiété de son bonheur, de savoir s'il avait des soucis, des regrets, des chagrins. On fait toujours passer ceux qu'on aime en dernier. J'ignorais que mon grand-père et Kabic avaient été si heureux petits. J'ai toujours cru qu'ils avaient passé leur jeunesse à rêver d'une vie loin de Sidi Moumen.

— Bien sûr qu'on ne pensait qu'à partir, comme tous les gosses du quartier ! On n'avait rien et quand on n'a rien, on est libre. Mais ça, on s'en est rendu compte beaucoup plus tard. Tu ne rêvais pas de quitter tes parents toi ?

— Non, j'étais bien à la maison.

— Ah oui ? Et c'est pour ça que tu te réfugiais tout le temps chez moi pour faire tes devoirs ?

À partir de la sixième, je passais tous les soirs de la semaine chez Kabic. Il n'habitait pas loin de chez nous, rue du Cimetière. En fait, c'est la rue Chancé-Milly, mais on a toujours dit rue du Cimetière entre nous. D'abord parce qu'elle longe le cimetière sud de Clichy et puis aussi parce que mon père avait un jour lancé à Kabic *Qui c'était, ce Milly ? Parce que j'vois pas quelle chance il a eu de se retrouver aux portes du cimetière comme ça !* Après ça, Ali et moi ricanions comme des imbéciles heureux à chaque fois qu'on entendait le nom de Chancé-Milly. Je ne peux pas m'empêcher de sourire en y songeant. Il avait de l'humour, mon père.

Pourquoi je courais chez Kabic après l'école ? C'était ça ou me retrouver en tête à tête avec Ali qui, quand mes parents avaient le dos tourné, se donnait des airs d'aîné en proférant des ordres et en me bousculant. Il n'y avait qu'un seul bureau dans notre chambre, et Ali se jetait dessus dès qu'il avait poussé la porte de l'appartement. J'étais cantonné à la table de la cuisine pour faire mes devoirs, et il y faisait un froid de canard en hiver. On dit que les jumeaux sont complémentaires, que les défauts de l'un sont les qualités de l'autre et qu'ils ne peuvent pas se passer de leur frère. Moi, j'aurais facilement pu me passer d'Ali et de ses mesquineries quotidiennes. Ça s'est arrangé en vieillissant, sans doute parce que nous ne vivons plus sous le même toit, mais je sens bien qu'Ali cherche à attiser une rivalité à laquelle je n'ai jamais souscrit et qu'il n'a jamais assouvie. J'en ai parlé à Foued, il y a quelques années. Je lui ai demandé s'il avait ressenti la même chose. *Non, mais je me suis toujours senti plus proche de toi que d'Ali, Marwan.* Sur le moment j'ai eu de la peine pour Ali. Il a dû avoir une enfance bien solitaire. *Oh, il avait plein de copains au lycée*, m'avait rétorqué Foued. Plein de copains, oui, mais aucun ami. Et pourtant si Bérangère est tombée amoureuse de lui, c'est qu'il a sans doute des qualités que l'amour a mises au jour.

Au début, j'allais chez Kabic seulement deux soirs par semaine, quand ma mère travaillait au Franprix de la rue de Neuilly. Je disais qu'elle était caissière quand on me demandait, mais en réalité, elle déballait les palettes de conserves pour les mettre en rayon les lundis et les vendredis. Elle rentrait rarement à la maison avant minuit. À partir de la sixième, mon père avait donné les clefs de l'appartement à Ali pour éviter que nous allions à l'étude les soirs où ma mère s'assurait que les boîtes de couscous Garbit – *c'est bon comme là-bas, dis !* – remplissaient bien les rayons du Franprix pour le week-end. À moi on demandait d'aller chercher les croissants le dimanche, à Ali on confiait les clefs de la maison. La répartition des tâches était assez farfelue dans notre famille, mais je ne m'en plaignais pas. Au bout d'un mois à me geler sur la table de la cuisine, j'avais décidé de passer chez Kabic pour faire mes devoirs. Le pli fut vite pris, à tel point que je finis par me rendre chez lui après chaque journée d'école et plus seulement deux soirs par semaine. Il faisait le thé à la menthe pendant que je lui racontais mes histoires de gosse, puis d'ado, puis d'adulte. Je ne lui ai jamais rien caché, mais je me rends compte que je ne lui ai jamais non plus posé de questions sur sa vie à lui, sa jeunesse, son enfance, ses deuils. Bien entendu, nous avons toujours su ce qui s'était passé dans les grandes lignes ; Sidi Moumen, la pauvreté, l'espoir, la France ; mais, par pudeur ou indifférence, personne ne demandait jamais de détails. Et nous, les enfants, qui par nature étions égocentriques, encore moins que les autres.

— Tous les soirs tu venais chez moi, Marwan, tous les soirs ! Je ne t'ai jamais demandé pourquoi. Tu me disais que c'était parce qu'Ali t'empêchait de faire tes devoirs, mais je sais bien qu'il y avait une autre raison. Tu avais besoin de parler, de partager tes journées, les bonnes et les moins bonnes. Je laissais un message à ta mère sur le répondeur chez vous, pour la rassurer. Tu faisais tes devoirs sur la petite table en laiton, mais je ne lui ai jamais dit que tu passais la première heure à remplir la pièce de paroles.

— Ça te pesait ?

— Non. Jamais. Et puis c'était bien pour Amine de passer du temps avec un garçon qui avait presque son âge. Et moi, j'étais content d'écouter quelqu'un d'aussi érudit que toi.

— Moi ? Érudit ? Kabic, j'avais onze ans…

— Tu lisais. Tu avais le temps de lire. Plus que moi.

— Grâce à la carte de bibliothèque que tu nous avais offerte !

— Quand ma pauvre Safia, puis notre fils et ma belle-fille sont morts, qu'Allah veille sur eux, j'ai dû mettre de côté ma peine et mes livres pour m'occuper d'Amine. Il n'avait pas deux ans et moi déjà cinquante. Les matins, je le déposais chez Madame Ibn Jellil. Tu te souviens de Madame Ibn Jellil ? Ma voisine de palier. Elle te donnait souvent des baklavas quand elle te croisait. Sa bonté se lisait sur son visage. En voyant à quel point j'étais fatigué quand je rentrais de l'usine, elle avait proposé de garder Amine et de le faire dîner en même temps que ses enfants à elle, pour que j'aie le temps de souffler. Quelle gentillesse ! Tu te souviens d'elle ?

— Bien sûr !

— Elle le raccompagnait de l'école le soir, et lorsqu'il a commencé à fuguer, c'est chez Madame Ibn Jellil qu'il se réfugiait. Ah, on peut dire qu'il m'a fait du souci, Amine. J'ai été tellement soulagé quand ton père l'a pris comme apprenti !

— Il m'a demandé de le laisser continuer au garage le temps qu'on trouve une solution.

— Oui, je sais. Il était vraiment content que tu acceptes. Il aimait beaucoup ton père. Beaucoup. Il est très triste et pour lui, honorer le souvenir de ton père, c'est un devoir.

— Tu sais, moi, le garage…

— Tu ne devrais pas dire ça, Marwan. Ce garage a payé vos études à tes frères et à toi et vous a donné un toit sur la tête. Sans lui tu aurais fini ouvrier chez BIC ou chez Citroën !

J'ai fait de la peine à Kabic. Il a détourné la tête et regarde à présent la mer par le hublot. Je comprends ce qu'il ressent ; lui qui envoyait une partie de son salaire à mes grands-parents tous les mois pour que mon père apprenne le français et qu'il ait une vie moins difficile loin de Sidi Moumen. Le garage, rue de Paris, c'est Kabic qui l'avait trouvé et lui en avait parlé. En arrivant en France, mon père avait d'abord bossé comme mécano à l'usine Citroën de Levallois, celle qui fabriquait les 2 CV, avant qu'elle ne ferme en 1988. Au bout de quelques années, il avait réussi à économiser suffisamment d'argent pour que le banquier ne le prenne plus pour un immigré mais pour un entrepreneur, et lui consente enfin le prêt qui lui a permis d'acheter le garage. De ses années chez Citroën, mon père avait gardé une obsession pour la 2 CV. Certains connaissent les millésimes des grands bordeaux par cœur, lui connaissait ceux des 2 CV. Il pouvait citer la date de sortie d'usine rien qu'en entendant le ronflement d'un moteur Citroën remonter la rue. J'exagère, mais cette marque le fascinait. Surtout la 2 CV et la DS ! Moi ce que j'aimais dans notre 2 CV, en dehors du bruit de trompette qui faisait sourire tout le monde sur son passage, c'était qu'elle était jaune ; d'un jaune canari qui prolongeait les rayons de soleil quand l'hiver recouvrait Clichy de sa grisaille. Le changement de vitesses horizontal aussi, qui ressemblait à une poignée de porte récalcitrante qu'on tortillait dans tous les sens sans jamais arriver à l'ouvrir. J'observais mon père quand il conduisait. À chaque fois qu'il passait de la deuxième à la troisième vitesse, j'avais l'impression qu'on s'envolait pour la lune. La lune ou la mer, mais lui qui avait grandi si près de l'océan ne pouvait nous offrir que la lune. Et quand elle était pleine en été et qu'elle éclairait notre enfance, mon père nous emmenait dans les étoiles. Oh, pas la Grande Ourse, la Voie Lactée ou Cassiopée, mon père n'avait pas étudié l'astronomie et ne connaissait pas tout ça, mais il nous disait que certaines étoiles brillent davantage en France qu'ailleurs et quand on lui demandait pourquoi, il répondait *parce qu'ici personne ne te dit lesquelles tu as le droit de regarder.* Il nous répétait toujours qu'on était marocains, mais il était fier qu'on soit français, mon père.

Un jour il nous avait emmenés faire un tour dans une DS qu'un client lui avait déposée. C'était déjà une voiture de collection à l'époque et mon père, qui était persuadé que la passion de la mécanique était héréditaire, avait ouvert le capot pour nous montrer, à Ali et à moi, chaque cylindre, chaque soupape, avec la fierté d'un pilote de ligne qui ferait visiter le cockpit. Puis il nous avait expliqué en quoi les suspensions Citroën étaient révolutionnaires, et pourquoi le monde entier les avait copiées, *même les Américains et les Japonais !* Pour prouver ce qu'il venait d'avancer, il nous avait fait grimper à l'arrière et avait pris la direction du périphérique. La radio jouait Joe Dassin, *qu'il est long, qu'il est loin ton chemin, Papa !* Le client avait confié sa voiture au garage parce que la climatisation était cassée, et en plein mois de juillet, il devait faire vingt-huit degrés à l'arrière de cette bagnole. Les suspensions faisaient tanguer l'habitacle dans un lent mouvement de marée. Ali et moi avions le mal de mer et ronchonnions, mais mon père, lui, n'écoutait que le ronronnement du moteur et se félicitait du confort remarquable mis au point par les ingénieurs Citroën. Il les avait certainement croisés lorsqu'il était encore de la Maison. Ali n'avait pas l'air bien. Ses yeux me demandaient si je tenais le coup et je lui répondais que oui en hochant la tête avec un sourire narquois. Je savourais cette vengeance tombée du ciel pour toutes les mesquineries qu'il m'avait fait subir. Ali n'allait jamais oser contrarier mon père qui était si heureux de nous montrer le jouet de son client ; et je le savais. Après quinze minutes de roulis incessant dans cette étuve qui sentait le cuir et le tabac froid, Ali avait été pris d'une forte envie de vomir. Il se comprimait la bouche des deux mains avec la mine paniquée du condamné qui aperçoit l'échafaud. Ses écœurements se rapprochaient de plus en plus et à chaque fois il ravalait les premiers soldats que son estomac était prêt à lancer à la charge. Ses yeux cherchaient les panneaux de signalisation. Combien de temps avant d'échapper à ce sauna ? Enfin la Porte Champerret ! On y serait bientôt ! Mais au moment où nous remontions la rampe de sortie du périphérique, mon père donna un petit coup de volant sec pour éviter une camionnette.

Le fameux tagine aux olives de ma mère traversa l'habitacle et vint s'écraser sur le pare-brise et les sièges en cuir de la DS du client de Papa avant de dégouliner en larges morceaux visqueux jusque sur la moquette marquée aux fameux chevrons Citroën. Mon père n'avait rien dit. Ali et moi savions qu'il aurait voulu hurler toute sa colère et nous punir, Ali pour ce qui s'était passé et moi pour ne pas l'avoir prévenu, mais le vrai fautif, c'était lui et il ne pouvait pas le nier. En rentrant à la maison, il s'était attendu à ce que ma mère compatisse, mais elle s'était contentée de lancer *et alors ? L'est pas bon mon tagine, Ali, pour que tu l'vomisses à la première occasion ?* C'est la dernière fois que mon père nous a emmenés faire un tour dans la voiture d'un client et la dernière fois qu'il nous a parlé de mécanique. Je ris en revivant ce souvenir. Kabic détourne le regard de la mer.

— Pourquoi ris-tu ?

— Pour rien. Excuse-moi d'avoir fait mon snob avec le garage.

— Ce n'est rien.

— Tu devais être épuisé le soir en rentrant de l'usine. Et moi je t'assenais mes journées qui ne devaient pas te sembler palpitantes.

— La fatigue, comme la solitude, au bout d'un moment, ça devient une habitude.

— Je devais te barber avec mes enfantillages de cour de récré. Et quand je te récitais mes cours !

— Non.

— Tu devais me maudire.

— Au contraire. Je gardais les yeux rivés sur l'horloge de l'usine pendant la dernière demi-heure, en comptant les minutes. Les copains pensaient que j'allais retrouver une femme. Ils rigolaient et me demandaient le lendemain matin *alors, quand est-ce que tu nous la présentes Kabic ? Il y a encore de l'encre dans ton petit stylo ? Ça conserve de bosser chez BIC !* Personne ne se doutait que tout ce que je voulais, c'était rentrer chez moi avant que tu n'arrives, nous préparer le thé à la menthe, m'allonger sur le divan cinq minutes pour récupérer et t'écouter remplir mon petit appartement de tes histoires une fois que tu en aurais franchi le seuil.

— M'écouter ?

— Oui, écouter tes journées, les cours de Maths qui te barbaient, les leçons d'histoire qui te passionnaient autant que moi, Molière, Hugo, Baudelaire, Flaubert, Rimbaud, Zola, Colette, Gary, Yourcenar, Camus ! Ah, Camus ! J'apprenais en même temps que toi parce que, déjà à cette époque, tu avais le don de l'enseignement et tu partageais tout avec la même passion qu'aujourd'hui ! J'étais fasciné ! Et puis, j'aimais quand tu me confiais les petites joies qui ponctuaient tes journées et les grands malheurs qui te paraissaient insurmontables sur le moment mais que tu oubliais aussi vite. Je suis sûr qu'il y a un tas d'histoires que tu as vécues et dont tu ne te souviens même pas ! Moi, si ! Tout ce que tu vivais, je le vivais pendant une heure tous les soirs. Je t'écoutais, je t'observais faire tes devoirs sur la petite table en laiton ; celle où tu as gravé tes initiales en pensant que je ne te voyais pas. Même tes disputes avec Ali, j'aimais les entendre. Et vos réconciliations aussi. Ça me changeait des conversations d'usine, des blagues salaces des copains à la cantine, des jalousies, des rivalités mesquines. Celles de l'enfance sont beaucoup plus innocentes et c'est une innocence que j'ai découverte grâce à toi, car je ne l'ai jamais connue en grandissant. Et puis, n'oublie pas, tu es doué pour le récit, comme ton grand-père.

— Vraiment ? Ça t'intéressait ?

— Oui. Mais ce n'est pas que ça, Marwan ; j'aimais, comment dire, j'aimais vivre ton enfance.

Kabic prend une gorgée d'eau. Il ne m'a jamais dit tout ça. Et je ne lui ai jamais demandé non plus. J'aimais me réfugier chez lui, mais surtout pour échapper aux sournoiseries d'Ali. Pour être libre.

Il baisse la tête. À lui qui n'a vécu que pour les autres, la vie a dérobé la jeunesse. Je comprends soudain ce que pouvaient représenter à ses yeux mes banales histoires d'écolier. L'enfance que mes parents m'ont offerte en France, c'est celle que mon père imaginait en levant les yeux vers les étoiles dans le ciel sombre de Casa, celle pour laquelle ma mère alignait des boîtes de conserve dans l'anonymat d'une blouse de supermarché, celle dont Kabic et mon grand-père rêvaient, gamins, allongés sur leurs paillasses en papier journal.

Mon enfance, c'est celle qu'aucun d'entre eux n'a jamais connue.

# 14

Kabic sort de l'avion avec une impatience de jeune homme. Il trotte dans les couloirs de l'aéroport Mohammed V comme si l'Amour l'attendait de l'autre côté de la douane. Les haut-parleurs diffusent de la musique marocaine sans discontinuer. Le contraste entre le son des instruments traditionnels, le *kamanja*, le *qanûn*, et l'architecture ultramoderne du terminal 1 déconcerte les rares vacanciers qui font escale à Casa ; la plupart ne voient du Maroc que Marrakech ou Agadir. Tanger pour les plus snobs, ceux qui cancanent qu'ils se sont frottés *au vrai Maroc* à leur retour dans l'Ouest parisien ; un Maroc colonial dont les rues et la côte de Tanger sont imprégnées, un Maroc aseptisé par le filtre luxueux d'un hôtel pour riches. Un mirage. Un Maroc qui ne sera jamais celui de ma famille.

Un touriste en short fleuri, tongs brésiliennes aux pieds, esquisse un pas de danse du ventre qui suscite des gloussements dans le groupe qui l'accompagne. J'y vois, malgré moi, une moquerie qui me déplaît. J'ai beau ne pas me sentir vraiment marocain, je déteste l'arrogance de certains Français qui abordent toute autre culture par la dérision plutôt que le respect, par la critique plutôt que la curiosité, par la comparaison plutôt que la découverte. Ces Français, qui ne toléreraient pas qu'un Américain hésite devant une assiette d'escargots de Bourgogne ou s'interroge sur les moisissures du Roquefort, ponctuent toujours d'un *mais c'est pour rire* les traditions qu'ils insultent. En y réfléchissant, je me demande si je n'ai pas eu la même attitude au Portugal cet été. Et si mes amis avaient été vexés par certaines de mes remarques ? Il faudra que je leur pose la question. Je me souviens que Capucine m'avait dit de cesser de *faire mon Parisien* lorsque j'avais jugé infects les croissants du petit-déjeuner. *Ce n'est pas la France ici, tu comprends ?* Ils étaient secs. Secs comme elle. Pourquoi manger des croissants au Portugal ? Pourquoi prendre un petit-déjeuner à la française au fin fond de l'Algarve ? On n'aurait pas pu prendre un petit-déjeuner portugais ? Découvrir, apprécier, partager ? J'avais hésité à lui confier que c'était moi LE spécialiste des croissants dans ma famille depuis que j'avais huit ans. Que, le dimanche, mon père me donnait vingt francs pour écumer toutes les boulangeries du quartier à la recherche des meilleurs croissants de Clichy. Moi et personne d'autre ! Elle n'aurait pas compris. Elle qui me serinait tout le temps *tu comprends ?* comme on s'adresserait à un enfant peu vif. Ce que je ne comprends pas, c'est pourquoi elle m'a quitté. Je sais pour qui, mais pourquoi ? Une vie meilleure, sans doute, au moins sur le plan matériel car je n'aurais jamais pu rivaliser avec ce que son banquier breton va lui offrir. Mais tout cela a-t-il un sens ? Si nous sommes restés ensemble pendant quatre ans,

c'est bien parce qu'elle voyait en nous une possibilité, un espoir. Les femmes ne restent pas par paresse ou lâcheté. C'est un truc de mecs, ça.

Elle n'est jamais venue au Maroc, n'a jamais voulu. Sa méfiance anéantissait chez moi toute motivation, si tant est que j'en aie eu la moindre. Je me suis souvent demandé si elle était avec moi pour ma gueule d'Arabe, si ça la posait. Elle me présentait toujours en disant *Marwan est marocain*. Pas mon compagnon, pas prof d'histoire-géo, non ; même si elle ne s'en rendait pas compte, j'étais l'Arabe de service. Au tout début de notre relation, elle m'avait traîné à un dîner chez un de ses amis friqués de Belleville. Un ami friqué de Belleville, quelle antinomie ! L'appartement donnait sur les Buttes Chaumont. Un PMC comme disent les agents immobiliers. Parquet, Moulures, Cheminées. Les voitures garées devant l'immeuble s'étaient déjà germanisées et j'avais eu du mal à trouver une place pour la 2 CV que j'avais empruntée à mon père. Capucine avait enregistré le code de la porte cochère dans son téléphone et mis du temps à retrouver les initiales sur l'interphone. Pourquoi ils n'ont pas simplement inscrit leur nom ? *Quand on est un peu connu, on ne met pas son nom, tu comprends ?* La concierge avait été remplacée par deux sas de sécurité, d'hideuses boîtes aux lettres et un interphone. Son ancienne loge servait désormais de local à vélos. *Si c'est pour avoir le même sapin de Noël en plastoc dans l'entrée chaque année, je veux bien en acheter un pour la copro, ça coûtera toujours moins cher que des étrennes !* s'était esclaffé Ghislain, l'ami de Capucine propriétaire de l'appartement, quand

j'avais abordé le sujet avec lui. Capucine avait lancé à la cantonade un *salut tout le monde, j'vous présente Marwan. Il est marocain.* Un couple qui avait monté *une boîte de créaaah à deux rues d'ici* m'avait pris sous son aile avant même que j'aie pu ôter mon blouson. L'un d'eux, François-Xavier, *mais je préfère F-X*, adorait Tanger et aussi Marrakech qu'il avait connu *avant*.

— Avant quoi ?

— Tu sais bien, avant que la gauche caviar n'en fasse son Disneyland. J'ai l'air de critiquer, mais entre nous, j'en suis. Comme tout le monde ici ! Tu veux une coupe ?

— Non, je ne bois pas.

— Ah oui, pardon. En même temps, le champagne, c'est pas vraiment de l'alcool. Vous devriez y avoir droit. Je plaisante. Moi, je suis baptisé, je ne vais pas à l'église, mais je ne bouffe pas du curé non plus. Chacun fait ce qu'il veut et c'est très bien de suivre ce que dit le Coran.

— Je ne bois pas parce que je conduis…

F-X avait passé de nombreuses vacances à la Mamounia avec ses parents, des fans de François Mitterrand. Pour eux, c'était comme un pèlerinage. *Bien sûr le Maroc c'est très beau, mais on y allait surtout pour suivre les pas du grand homme. Assouan aussi, bien entendu, un autre classique des nostalgiques de Tonton. On y est allés deux fois, et on descendait au même hôtel que Mitterrand, mais la cuisine égyptienne n'est pas formidable, on préfère les tagines de ton pays.* F-X avait grandi *au Troca, pas loin de l'ambassade du Maroc, pour te situer* et passait son temps à l'Institut du Monde Arabe, *rien que, déjà, pour*

*l'architecture de Jean Nouvel.* Sa femme Cloé, *sans h*, et lui avaient une passion pour ce qu'ils appelaient ma région du monde, *et aussi la Turquie. Istanbul est une ville tellement magique !* J'avais répondu qu'en effet mes parents avaient immigré du Maroc, mais que, moi, j'avais grandi à Clichy et ne voyais pas où se trouvait l'ambassade du Maroc. Je n'avais jamais mis les pieds en Turquie et n'étais pas sûr qu'on puisse comparer les deux pays, un peu comme l'Espagne et la Finlande. Je n'avais pas pu déceler si F-X était déçu ou au contraire ravi lorsqu'il avait répété après moi, *Clichy ?* Le périphérique est une frontière infranchissable pour beaucoup de Parisiens. Capucine avait haussé les épaules et rétorqué *OK, mais tes parents viennent de Casa, c'est pareil, non ? On ne va pas couper les cheveux en quatre non plus !* Cloé m'avait souri puis murmuré *tu veux de la quiche ? Prends celle au saumon, l'autre est truffée de lardons.*

Je prépare mon passeport ainsi que la carte de débarquement que le steward d'Air France m'a donnée. La plupart des autres touristes n'en ont pas et expriment déjà leur frustration en italien, en portugais ou en espagnol. Un brouhaha de langues latines couvre l'incessante musique arabe que diffusent les haut-parleurs. Kabic a hâte de se retrouver au pays et trépigne dans la queue. Il se fait du souci pour sa valise. *On ne sait jamais qui rôde dans les aéroports ! Surtout ici !* Je lui souris en guise de réponse ; il ne doit pas y avoir grand-chose de valeur dans ses bagages, mais les personnes âgées vivent d'inquiétudes. Kabic y compris. Le revers de sa sagesse, sans doute. Notre tour arrive enfin. Le douanier s'empare de nos passeports ; un bordeaux pour moi et un vert pour Kabic. Il salue Kabic, puis s'adresse à moi en arabe.

— *Maghribi ?*

— Non, français.

— Mansouri ? C'est d'ici.

— Mes parents sont marocains, mais pas moi.

— Si ton père est marocain, tu es marocain. Pourquoi tu parles l'arabe avec un accent algérien ?

— Je ne sais pas. C'est l'accent des immigrés. Il y a plus d'Algériens que de Marocains en France, alors on finit par prendre leur accent en arabe. Surtout moi qui le parle mal.

— *Ouach jeddek ?*

— Non, ce monsieur n'est pas mon grand-père. Mais presque.

— Presque ?

— Mon père est mort. Je le ramène au Maroc. Tenez, voilà les papiers pour le cercueil qui voyageait avec nous.

— *Marwan Mansouri, yek ?*

— *Iyech.* Oui. C'est moi.

Il me regarde longuement tout en étudiant le document que je viens de lui donner, puis se tourne vers Kabic en lui rendant son passeport.

— Votre père est mort quand, Monsieur ?

— Avant-hier.

— Il manque une attestation.

Il appelle son collègue. Ça y est ! On va encore me demander ma carte d'identité marocaine ! Même pour enterrer mon père, on me rend la vie difficile. Son collègue lui tend un papier que le douanier parcourt rapidement avant de nous fixer Kabic et moi, puis de baisser la tête en soupirant.

— *El baraka fi rassak.* Mes condoléances.

— *Mamcha mhak bass*, répond Kabic en hochant lui aussi la tête.

— Qu'Allah soit avec vous et votre famille dans cette épreuve Monsieur, me lance-t-il en français avant de se poser la main sur le cœur.

La compagnie d'assurances, qui s'est occupée du cercueil, a aussi prévenu les autorités marocaines. Le corps de mon père va être directement transféré à la morgue jusqu'à l'enterrement. Il manque un certificat médical signé par un médecin marocain, mais le douanier demandera directement à l'agent de la compagnie d'assurances quand il viendra chercher le cercueil plus tard aujourd'hui. *Ne vous inquiétez pas, Monsieur Mansouri, c'est un détail, je m'en occupe.* Je m'en veux un peu d'avoir pensé du mal de ce douanier, d'avoir eu sur lui le genre d'*a priori* que j'ai si souvent combattus au collège. Cela fait huit ans que je ne suis pas venu au Maroc. Les choses ont peut-être changé, et maintenant que je n'ai plus de père, je suis peut-être devenu un homme aux yeux des Marocains.

Dans la salle des bagages, Kabic sort son paquet de cigarettes et pointe sa valise du doigt. Un homme en veste verte la récupère sur le tapis roulant et la dépose près de moi avec un sourire. Il attend un *bakchich*. J'avais oublié qu'au Maroc, il y a toujours un métier dont on ignore l'existence en Occident, soit qu'il a été remplacé par une machine, soit qu'on s'est habitué au *self-service*. Au point de s'énerver quand quelqu'un nous vient en aide ! Ici, il y a encore des pompistes aux stations d'essence, des gardiens de parking, des garçons de café. On leur file la pièce contre un peu d'aide, un sourire et un peu de dignité dans leur misère. L'homme m'apporte mon bagage. Je n'ai pas de dirhams mais il préfère les euros de toute façon. J'attrape la valise de Kabic et la juche sur la mienne qui est équipée de roulettes. *Voilà !*

*Comme ça, elle ne pèse plus rien.* Kabic me sourit, comme pour dire que s'il n'a pas la force physique de porter sa propre valise, il peut m'aider à me décharger de bien d'autres poids. La sécurité scanne tous les bagages avant de laisser les voyageurs sortir de l'aéroport. De nouveau nous faisons la queue au milieu des protestations des Français et des Italiens qui se plaignent de l'incompétence des Arabes à haute voix, convaincus que les Marocains ne les comprennent pas, eux qui parlent toutes les langues depuis toujours. La file avance vite et nous nous retrouvons de l'autre côté des portes automatiques, dans le grand hall de l'aérogare où Kabic peut enfin allumer sa cigarette.

Un troupeau de chauffeurs de taxi avachit sa nonchalance sur la barrière en métal qui les sépare des nouveaux arrivants. On discute, on opine du chef, on baille en détachant bien les syllabes. À chaque nouveau touriste que livrent les portes coulissantes, les têtes se redressent, les yeux plissent puis s'arrêtent sur le plus vulnérable. La traque commence. On emboîte le pas, on sourit, on plaisante dans un français ou un espagnol accentué mais poli. On exhibe une pancarte Trip Advisor attestant de la qualité du service. Parfois on offre même une bouteille d'eau minérale en signe de bienvenue. Seuls ceux qui coupent court aux assauts d'un revers de main ou d'un sourire ferme passent entre les mailles du filet. Pour les autres, la moindre hésitation vaut approbation. On s'empare des bagages en tapotant sur l'épaule fatiguée, on assure qu'il n'y a pas moins cher dans tout Casablanca, que le taxi a un compteur, qu'on est entre de bonnes mains, que la vie est belle et qu'il y a un bon petit restaurant pas loin si la faim se fait sentir. *Vous verrez, c'est très bon. C'est mon cousin qui le tient !*

Je souris en me disant que les mêmes bonimenteurs arpentaient les grandes gares parisiennes au dix-neuvième siècle à la recherche d'une proie facile, d'un pigeon. Les gares sont devenues des aéroports, mais le reste n'a pas beaucoup changé.

Le cousin Mo m'a dit qu'il attendrait à l'extérieur. J'allume mon téléphone pour vérifier s'il m'a envoyé un message. Rien. Seulement un texto de Foued. Ali, Maman et lui viennent d'arriver à Bordeaux. Ils sont partis très tôt ce matin. Je me demande si Maman est fatiguée ou si elle tient le coup. Foued n'en dit pas beaucoup plus. Cet après-midi ils rejoindront la frontière espagnole par le Pays Basque pour que Maman voie l'océan. Ils accrocheront leur fatigue le temps d'une nuit à Bilbao, puis commencera la traversée du désert. Valladolid, Salamanque, Merida, Séville et enfin Algésiras. Dix-huit heures de voiture depuis Paris et sans doute autant de Thermos de café. Ils prendront le ferry pour Tanger demain soir. La traversée dure une heure et demie, mais les souvenirs occuperont ma mère dès le matin. Les souvenirs du voyage qu'elle avait fait en sens inverse aux côtés de mon père, il y a trente ans. Une bouffée de chagrin me serre la gorge. Je ressasse la question qui préoccupe Maman depuis le décès : que va-t-elle devenir ? Pas seulement sur le plan matériel, mais quelle va être sa vie maintenant. La retraite de mon père ne vaut rien, ou si peu, et les services sociaux risquent de l'expulser pour donner l'appartement à une famille. Et je le comprends. Comment passe-t-on d'une vie à deux à une vie sans personne ? Comment Kabic a-t-il fait lorsque le cancer lui a ravi sa femme ? Puis qu'il a perdu son fils et sa belle-fille dans cet effroyable incendie ?

— Aucun message de Mohammed, Marwan ?
— Non, il doit nous attendre dehors.

Les néons blancs diffusent une lumière blafarde et clignotante sur le tarmac où s'alignent les taxis. La moiteur qui remonte de l'océan fait regretter l'air conditionné de l'aéroport. Perdus soudain au milieu des Marocains, les touristes qui ont échappé aux chauffeurs de taxi semblent paniquer. Peuvent-ils vraiment faire confiance à qui que ce soit ici ? Les femmes se pressent contre leurs maris, leurs yeux cherchent la présence rassurante d'un uniforme tout en se rapprochant des autres Occidentaux. Cette méfiance à l'égard de l'Arabe est un stigmate dont il ne se débarrasse jamais et qui le poursuit jusque dans son propre pays.

Kabic et moi remontons la file de taxis. Je ne l'ai jamais vu marcher aussi vite. Ce séjour au Maroc lui a donné des ailes. Derrière nous un Français à la stature de joueur de rugby lance *et alors, on fait pas la queue dans c'pays ?* Kabic n'a pas entendu. Il continue sur sa lancée. Je choisis de ne pas relever et ne me retourne pas.

Un homme agite la main par la fenêtre de sa voiture. Le cousin Mo ! Il a changé, je l'aurais à peine reconnu si Ali ne me l'avait pas décrit avant de partir. Ils se sont parlé sur Skype. Nous nous approchons. Mo, *Rébanes* sur le front, termine une barre chocolatée puis s'extirpe paresseusement de son siège en suçant ses doigts un à un. Il salue Kabic avec le respect dû à un *Hajj*, un pèlerin de La Mecque, puis m'attire vers lui pour me serrer dans ses bras. *C'est qui le vieux ?* me chuchote-t-il à l'oreille. Il est triste pour mon père. Il l'a peu connu, il l'a vu trois fois dans sa vie, peut-être quatre, *mais c'est la famille et on a toujours des larmes pour la famille. C'est normal.* On a fait bon voyage au moins ? *Ici c'est pas la joie*, me confie-t-il en jetant par terre l'emballage de son Mars, Mi Lalla, notre grand-mère, n'a rien mangé depuis le coup de fil de Marwan.

— Ah non, c'est toi, Marwan ! Comment il s'appelle ton frère ?

— Ali ou Foued.

— Ah oui, c'est ça, Ali. Bref, Mi Lalla n'a rien avalé depuis qu'Ali a appelé. C'est le défilé permanent chez elle. Toute la famille est passée et elle a fait la cuisine pour tout ce monde, mais elle ne touche à rien. Un peu de lait caillé, et encore… Elle est déjà bien frêle, il faudrait pas qu'on la perde.

— Kabic est un vieil ami de Mi Lalla, j'espère que ça lui fera du bien de le revoir.

— Kabic ? *El hamdoulilah !* Mais t'aurais dû me le dire tout de suite, Marwan ! Tu me reconnais, Kabic ?

Mo, le fils de Fatima ! s'exclame soudain Mohammed en arabe.

— Oui je me souviens très bien, Mo, très bien, lui répond Kabic en détachant bien les mots pour que je comprenne.

— On m'avait pas prévenu que tu étais du voyage, reprend Mo.

— Ça s'est décidé à la dernière minute. On y va ? Je suis un peu fatigué, dit Kabic pour tuer la discussion dans l'œuf en jetant son mégot dans le caniveau.

Un après-rasage bon marché dissimule tant bien que mal l'odeur rance de transpiration qui émane de la chemise de Mo. Il a trente-deux ans mais en paraît cinquante. Ses cheveux gris bouclés rendent poupon son visage bouffi et halé que deux petits yeux verts viennent éclairer. Il a dû être pas mal, mais mes souvenirs sont vagues. Je ne le connais pas bien, c'est le fils de Fatima, l'une des sœurs de mon père. Quand nous étions petits, il faisait partie de la horde de cousins qui nous martyrisaient une fois qu'on leur avait remis les articles qu'ils avaient commandés à mes parents. *Ton père était très aimé*, me dit-il en arabe, en articulant pour que je ne sois pas perdu. Il parle français, mais se sent toujours un peu complexé par rapport à nous, de la même manière que j'ai toujours regretté de ne parler qu'un arabe de cuisine. Mo est chauffeur de taxi. Un *petit taxi*, comme on les appelle ici. Une flotte composée de voitures rouges cabossées, de toute marque et de toute époque. Comme les bus verts qui ont sillonné les rues de Paris en leur temps et que la RATP revend à bon compte à la ville de

Casablanca. Certains affichent encore les numéros des lignes de leur vie parisienne passée, stigmates de quartiers qu'ils ne reverront jamais. Mo ouvre le coffre et nous laisse charger nos valises nous-mêmes tout en jouant avec les clefs de sa 205 Peugeot. *Pas beaucoup de bagages ? On ne reste que quelques jours.* Kabic insiste pour que je m'installe devant dans la voiture. J'aurais préféré m'asseoir sur la banquette arrière, puis je me dis qu'au moins ici, je pourrai ouvrir la fenêtre et faire courant d'air pour chasser l'odeur de transpiration.

— Pas la peine, elle est cassée !

— Comment ?

— La fenêtre, Marwan, elle est cassée.

— Ah ?

— Tu comprends quand je te parle en arabe ?

— Quelques mots.

— Bon, on va parler français alors.

— Merci.

— Et pourquoi ils t'ont pas appris la langue de chez nous, tes parents ?

— Je ne sais pas, pour qu'on suive à l'école.

— Et pourquoi ? Il vaut mieux pas aller à l'école et comprendre la langue de tes parents ! Comment tu vas lui parler à Mi Lalla ?

— On n'a jamais eu de problèmes pour communiquer.

— Quand t'étais gamin, oui, et puis on était là pour faire la traduction, hein, nous les cousins ! Mais aujourd'hui ?

— *Wala alik.* Ça ira bien.

— En tout cas, compte pas sur moi pour traduire toute la journée ! J'ai passé mon temps à le faire pour les cousins de Bruxelles l'été dernier, et ils m'ont même pas laissé cinquante euros en partant !

Je me retourne pour jeter un coup d'œil à Kabic qui s'est endormi comme un enfant. La lumière de septembre lui barre le visage en même temps qu'elle m'éblouit. Je rabats le pare-soleil et aperçois mon reflet dans le miroir dissimulé au dos de celui-ci. Le regard de mon père me transperce soudain et j'ai un mouvement de recul dans mon siège, avant de réaliser que ce sont mes yeux qui regardent mes yeux.

— T'as pu me trouver une cartouche de Marlboro ? interroge Mo.

— Non.

— T'as pas pu trouver ?

— Je n'ai pas eu beaucoup de temps.

— Je me suis dit, puisqu'il descend… J'ai demandé à ton frère Ali aussi, peut-être qu'il aura plus de chance. Il est en voiture, non ?

— Tu lui as demandé de t'acheter une cartouche de cigarettes ?

— Bah oui ! Tu sais Marwan, comme on dit ici, mieux vaut sûr que jamais.

— Tard.

— Tard quoi ?

— L'expression en français c'est mieux vaut tard que jamais, Mo.

— En français oui, parce que les Français sont obsédés par le temps qui passe. Ici on a tout le temps, *inch'Allah*, mais aucune certitude, alors on dit mieux vaut sûr que jamais.

Il éclate du rire gras des gens qui essaient d'entraîner les autres dans leur propre médiocrité pour masquer le fait qu'ils ne sont pas drôles.

— Il a quoi comme voiture ton frère maintenant ?

— Je ne sais pas.

— Mais française, allemande, italienne, japonaise ?

— Allemande, je crois.

— Ah, c'est bien, c'est bien. Pour les voitures les allemandes, c'est bien. Pour les femmes, je préfère les Italiennes…

Le cousin Mo nous explique que les femmes le trouvent irrésistible mais n'osent pas le lui dire. S'il est toujours célibataire, c'est parce qu'elles pensent qu'il est inaccessible. *La carrière, le taxi, c'est un boulot que beaucoup de gens m'envient.* J'aperçois Kabic dans le miroir du pare-soleil. Il a ouvert un œil qu'il ne peut s'empêcher de lever au ciel. *Arrête de dire des conneries Mo*, lui lance-t-il en arabe, *et conduis un peu plus doucement, tu me réveilles à chaque fois que je m'assoupis !*

— C'est dommage quand même.

— De quoi ?

— Pour les Marlboro, parce qu'ici ça coûte une fortune…

— *Safi baraka*, Mohammed, ça suffit ! l'interrompt fermement Kabic depuis la banquette arrière.

Mo n'ose pas répondre. La remarque de Kabic lui a cloué le bec. D'un geste il allume la radio qui se met aussitôt à gueuler du rock égyptien. Il ouvre sa fenêtre en grand et crache son dépit sur le macadam, laissant la chaleur, la poussière et la cohue de Casa envahir l'habitacle.

# 15

Un plan de Paris recouvre le mur de l'entrée. Mi Lalla y a entouré notre adresse à Clichy et celle du garage de la rue de Paris. Sur un petit meuble berbère juste en dessous, elle a sorti les photos de mon père. La plupart datent d'après l'arrivée de mes parents en France. Ma mère a toujours envoyé des photos de nous à Mi Lalla, toujours passé des coups de fil, toujours gardé le lien avec Casa, mais je n'ai jamais vu un seul portrait de mon père enfant. *Cela coûtait trop cher à l'époque*, me confie Kabic, *les pauvres n'ont pas d'enfance, Marwan, même pas de traces. Leurs souvenirs restent vivants dans la mémoire du plus âgé d'entre eux et s'évanouissent avec lui.* Ses yeux retrouvent leur gravité quand il parcourt les cadres posés sur la table. Il a l'air davantage ému que moi par cette attention de Mi Lalla. Il s'accroche à mon bras, la fatigue du voyage l'a finalement rattrapé. Je l'entraîne vers l'intérieur. Mo, qui nous a fait entrer, se tient en retrait, comme si notre émotion lui avait rendu un semblant de décence. Il a insisté pour monter la valise de Kabic et essaie de reprendre son souffle tout en brisant le silence.

— Elle doit être dans son fauteuil, elle a pas beaucoup bougé depuis hier.

— Qui a disposé les photos comme ça ?

— Je sais pas, Mi Lalla, sans doute.

Mo passe devant nous et hurle en arabe *devine qui vient d'arriver !* comme s'il annonçait une heureuse surprise. Une de mes tantes, Saïda ou Fatima, traverse le rideau de perles multicolores qui sépare l'entrée du reste du petit appartement. Elle me serre fort dans ses bras. Ça doit être Saïda, la plus proche de mes parents. *Tu lui ressembles tellement !* me dit-elle. *Comment va ta maman ?* Je lui réponds qu'elle arrivera avec mes frères dans deux jours, que ça va comme quand on perd l'homme de sa vie. Apparaissent alors une autre de mes tantes et son mari. Fatima, cette fois, la mère de Mohammed qui la salue. Elle m'embrasse en larmes. *On dirait ton père ! Et Khadija, comment elle va ?* Puis c'est au tour de ma tante Imane et ses deux filles. *On vous laisse avec Mi Lalla, ça va lui faire un choc de voir comme tu ressembles à Tarek ! Et ta mère ?*

Je comptais prendre une chambre d'hôtel pour Kabic et moi. L'appartement de Mi Lalla est tellement petit, il me semblait impensable que nous y tenions tous, mais *jamais elle ne te laissera,* m'a dit Kabic, *tu la vexerais profondément.* J'ai répondu qu'à son âge il avait besoin d'un peu de confort. *Tout le confort dont nos âmes ont besoin est dans ce petit appartement*, s'est-il exclamé. *Je prendrai la petite chambre, et toi le canapé.*

Au bruissement du rideau de perles, Mi Lalla tourne son chagrin vers nous, mais son regard ne résonne plus.

Kabic et moi pénétrons dans le salon sans mot dire. Je me demande comment tant de deuil et de famille ont pu se bousculer dans une pièce aussi minuscule. La radio des voisins déverse une musique berbère mélancolique. Le sucre et la cannelle ont accroché leurs parfums enivrants aux voilages synthétiques qui filtrent la lumière tiède des débuts d'automne. Assise au fond de son petit fauteuil, les genoux recouverts d'une couverture rouge fané en laine épaisse, Mi Lalla a le visage maigre des mères orphelines. Sa djellaba, que le deuil marocain veut blanche, tranche avec les kilims, les coussins et les murs aux couleurs vives de la pièce. Un foulard, blanc lui aussi, souligne son teint livide et encadre les profonds sillons que le temps a creusés dans son beau visage tanné. La grand-mère joyeuse de mon enfance s'est effacée. Je reste figé. Surtout ne pas flancher ! Un bref sourire glisse sur ses lèvres, puis elle se lève en poussant sur les accoudoirs. Ses jambes frêles supportent à peine nos retrouvailles. Elle chavire. Kabic se précipite malgré la fatigue, la prend dans ses bras au moment où elle fond en larmes et, de sa longue main, accompagne sa tête qu'il appuie doucement sur son épaule. Il chuchote quelques mots en langue berbère. Elle écrase contre lui sa douleur et lui répond doucement. Je ne comprends rien. Quelques bribes. Il a lui aussi beaucoup de chagrin, elle n'a même pas pu dire au revoir à son fils, la vie est injuste, c'est elle qui était prête à partir ou quelque chose comme ça. Kabic répète *tafroude*, le fils, un des rares mots berbères que je connaisse à force d'entendre mon père nous le dire. Les deux vieux parents orphelins qu'ils sont désormais mélangent leurs larmes comme des amants échangeraient un baiser. Le chagrin, comme l'amour, sait se passer de pudeur.

Au bout d'une minute, elle se libère de l'étreinte de Kabic et titube vers moi en ouvrant les bras. Je ressemble à mon père, avec quinze kilos de plus. Je n'ai pas vu ma grand-mère depuis huit ans. On dit souvent que les lieux de l'enfance paraissent plus petits quand on les revoit à l'âge adulte. Peut-être que c'est la même chose pour les gens. Mi Lalla est minuscule, amaigrie depuis la dernière fois. Elle pose sa petite main sur ma joue, *would wouldi, le fils de mon fils*. Je la prends dans mes bras en me faisant croire que, si je la serre fort, nos chagrins s'annuleront. *Marwan*, me dit-elle en arabe, *il est parti, c'était son heure, comme quand la rose perd son dernier pétale. Depuis qu'Ali m'a téléphoné, les rires de ma mémoire sont les larmes de mon cœur. Les sœurs de ton père sont venues tous les jours, mais rien n'y fait. Mon fils est mort et moi je vis. Allah l'a voulu ainsi.* Elle s'inquiète de ma mère, de ce qu'elle va devenir. Je la rassure, nous allons nous occuper d'elle, Ali, Foued et moi. Elle ne sera jamais seule. *Oui*, dit-elle, *les souvenirs finissent toujours par chasser la tristesse, mais jamais la solitude*. Kabic et elle se prennent par la main, puis installent leur amitié dans le petit divan près de l'unique fenêtre. Ils ont tant de choses à se dire, tant de temps à rattraper, de personnes à évoquer, de solitude à partager.

J'ai préparé le thé à la menthe. Kabic et Mi Lalla n'ont pas cessé de discuter. Il l'a même fait rire, du rire triste de ceux que la gaieté néglige depuis longtemps. Devant eux, la boîte à chaussure que Kabic m'avait remise est ouverte. Il a arraché le scotch qui la tenait fermée et le couvercle gît sur le tapis aux pieds de Mi Lalla. Des lettres en arabe et quelques rares photos en noir et blanc reposent dans le fond. Au moment où j'entre dans la pièce, Kabic remet le couvercle sur la boîte et la pousse pour faire de la place. Une photo tombe par terre. Je pose le plateau sur la table, me penche pour la ramasser et la glisse instinctivement dans ma poche, sans y penser, avant de verser le thé. Je leur tends à chacun un petit gobelet en verre ciselé, les mêmes que ceux que nous avons à la maison. Kabic ajoute deux sucres au thé de Mi Lalla sans lui poser la question. Il connaît ses habitudes. Elles n'ont pas changé depuis cinquante ans. J'ai très envie de voir de plus près les photos dans l'entrée. Je pose la main sur l'épaule de Mi Lalla pour lui signifier que je les abandonne quelques minutes, puis franchis le rideau de perles en sens inverse.

Sur l'une des photos que Mi Lalla a retrouvées, un garçon s'appuie contre une porte. Les couleurs, à la fois criardes et fanées, évoquent un Maroc d'une autre époque. Un chat roux, allongé à ses pieds au soleil, lustre son poil à grands coups de langue. L'air renfrogné du gamin trahit la mauvaise grâce de ceux auxquels on a demandé de poser. Pourtant une esquisse de sourire sur son visage me fait songer qu'il était heureux. Non pas qu'il ait été malheureux en France, loin de là. Mes parents ont toujours été reconnaissants à la France de l'éducation qu'elle avait procurée à leurs enfants, une éducation que nous n'aurions jamais reçue s'ils étaient restés à Casa. La France leur a aussi permis de soutenir Mi Lalla et les sœurs de mon père – ma mère, elle, n'avait plus personne. Et, comme ils disaient souvent, grâce à la France, ils ont pu *s'en sortir*. Bien sûr, mon père aurait pu reprendre le garage de son père, à Casa, mais il n'aurait pas rapporté assez pour fonder une famille. Et ma mère voulait des enfants. C'est pour ça qu'ils avaient quitté leur vie marocaine et suivi Kabic jusqu'à Clichy, pour nous. Maman me l'avait dit avec ses mots, un jour où je maudissais le Maroc. *Tu sais là-bas, la vie était simple. On n'avait pas beaucoup d'argent. Mais c'était notre vie.* Sur le moment j'avais cru déceler dans ses paroles cet implacable fatalisme musulman qui anéantit tout libre arbitre – *c'est notre vie, on ne l'a pas choisie* – mais en regardant à présent la photo de mon père enfant, ce mélange d'espièglerie et de sérénité dans son regard, je comprends ce que Maman voulait dire : en arrivant en France, leur vie s'était arrêtée pour nourrir les nôtres et celles de la famille restée au pays. Au Maroc, on n'avait pas beaucoup d'argent mais c'était *notre* vie, ça voulait dire nous ne possédions pas grand-chose, mais nous avions une vie. *La nôtre.* À Casa, nous étions vivants !

Comme Kabic, qui n'est jamais revenu s'offrir la villa de riches dont il rêvait avec mon grand-père, à Californie. Comme Madame El Assadi et son mari quand ils évoquaient leur Maroc les soirs d'Aïd avec mes parents et se rassuraient mutuellement d'avoir pris la bonne décision en émigrant vers la France. Comme tous ceux pour qui l'exil a relégué le bonheur aux souvenirs d'avant. Avant cette vie. Avant Clichy. Alors que pour nous, leurs enfants – *issus de l'immigration*, comme on nous catégorise depuis notre naissance – dans nos souvenirs, il n'y a que la France.

Une autre photo attire mon regard. Le cadre n'a pas de verso et le cliché tient à l'aide de petits morceaux de scotch jaunis ; le club de foot de mon père. Onze jeunes gens en maillots verts, sponsorisés par *Danone, yaourt fruité*. La plupart ont des coupes de cheveux à la limite de l'afro. Celle de mon père est particulièrement impressionnante. On dirait un casque de protection comme en portent les joueurs de baseball. Je l'ai toujours connu avec les cheveux courts, très denses, très frisés, et surtout très courts. Je ne l'aurais jamais imaginé avec cette tête-là ! On a toujours un choc lorsque l'on découvre que ses parents ont été jeunes. Non d'ailleurs, pas tant qu'ils ont été jeunes, mais plutôt qu'ils ont eu une jeunesse. Je regarde la tignasse de mon père en me demandant si ça m'irait. Pourquoi n'ai-je jamais eu l'idée d'essayer ? Ce ne sont pas mes parents qui m'en auraient empêché. Ali est revenu un jour le crâne complètement rasé et Foued a laissé Samira, sa copine, le teindre en blond quand elle cherchait un cobaye pour son BEP de coiffure. Il faut que jeunesse se passe, comme dit l'expression. La mienne n'a peut-être jamais commencé, j'ai été trop adulte trop vite. *Tu ne peux pas te permettre ce genre de fantaisies dans ton boulot ! Déjà que tes élèves sont convaincus que tu leur passeras tout parce que tu es issu de l'immigration comme eux, il faut quand même que tu gardes un minimum d'autorité, tu comprends ?* avait martelé Capucine le jour où j'avais voulu porter des baskets au collège. Je vais me laisser pousser les cheveux pour voir. Au pire je ressemblerai à mon père. Au mieux, à moi…

Il y a aussi la photo de mariage de mes parents. La même que celle qui trône dans l'entrée de leur appartement à Clichy. Ils sont beaux. Ma mère a l'air timide et réservé, comme il se doit pour une épouse marocaine, du moins le jour de son mariage… Elle a revêtu la tenue traditionnelle et les sœurs de mon père lui ont peint les motifs de la virginité sur les mains, au henné. Ses cheveux sont couverts de bijoux en or prêtés par toutes les femmes de la famille. L'ombre d'un oranger adoucit les couleurs vives de sa robe, de la ceinture dorée traditionnelle qu'elle avait sans doute empruntée à une tante, et du caftan brodé de mon père. Celui-ci sourit de tous ses yeux et de toutes ses dents. Moi aussi. À trente ans d'écart et au travers d'une photo que je n'avais jamais vraiment pris le temps de regarder, je me laisse contaminer par le bonheur d'un jeune couple plein des promesses d'un avenir tout neuf.

Je n'avais pas aperçu Mo, assis sur un petit tabouret dans l'ombre de l'entrée. Il n'a pas bougé depuis tout à l'heure. Téléphone à la main, il consulte ses messages.

— *Ta elwat saap ?* me lance-t-il sans lever les yeux.

— *Ta elwat saap ?*

Décidément mon arabe est pitoyable.

— Oui, la messagerie gratuite !

— Ah ! WhatsApp !

— C'est ce que j'ai dit, *elwat saap*.

— Oui.

— C'est bien, je pourrai t'envoyer des photos de la famille pour que tu puisses reconnaître tout le monde le jour de l'enterrement.

— Je vais prendre une douche et j'irai faire un tour dans le quartier demain matin. Le voyage a fatigué Kabic, il se couchera tôt et Mi Lalla doit se reposer. Ça leur fait du bien de se retrouver après toutes ces années.

— Tu veux que je t'accompagne demain ? C'est plus rapide en taxi si t'as besoin.

— Non, ça va, merci. Je m'inquiète pour Mi Lalla. Elle est si maigre.

— Elle a dit ce matin qu'elle ferait un couscous pour la veillée mortuaire de ton père.

— Un couscous ? Mais je croyais qu'elle ne mangeait rien.

— Oui, mais elle fait quand même la cuisine. Et puis le couscous, c'est la tradition.

— Espérons qu'elle en prendra un peu aussi alors. Dis-lui que ma mère et mes frères arriveront jeudi s'il te plaît. Mon père souhaitait être enterré un vendredi. On fera la veillée jeudi soir, tous ensemble. J'achèterai des baklavas aux amandes pour Mi Lalla demain. Je me souviens qu'elle en raffole. Ça lui donnera de l'énergie.

— Marwan ?

— Oui ?

— Je dois rentrer chez moi, alors avant d'aller prendre ta douche, si tu pouvais me régler ma course, ça m'arrangerait. En principe c'est trois cent vingt dirhams depuis l'aéroport mais, comme tu es de la famille et que tu es là pour l'enterrement de ton père, je veux bien te la faire à deux cent quatre-vingts.

# 16

Le quartier de Hay Hassani, où mes grands-parents se sont installés quand ils ont quitté Sidi Moumen et où Mi Lalla vit encore, est un quartier populaire. Non, pas populaire. Populaire, ce serait péjoratif. Un quartier vivant. Un quartier où les marchandes d'agrumes côtoient les charrettes des vendeurs de dattes, de cacahuètes, de menthe et de verveine séchée. Un quartier où les gosses jouent au foot sur le moindre bout d'asphalte en hurlant, où les femmes en rajoutent pour se saluer quand elles s'aperçoivent, où les vieux traînent leur langueur d'un café à l'autre en lisant le journal. Un quartier où la vie passe en trépidant mais ne change pas. Le long du boulevard d'Afghanistan, des dizaines de bijoutiers accrochent des centaines de mains de Fatma, d'étoiles de David, de chaînes en or et en argent ajourées sur des portes en bois vermoulu qu'ils ont noircies au brou de noix. Attirés comme des insectes nocturnes par le scintillement du soleil sur ces breloques, les badauds se laissent bonimenter d'échoppe en échoppe. Certains entament un marchandage discret qui grimpe rapidement en décibels, puis glissent vers la bijouterie suivante sous le mépris obséquieux du marchand. On trouve exactement les mêmes pacotilles d'une boutique à l'autre. Le ton monte parfois, mais toujours avec respect. Je me demande comment ces bijoutiers parviennent à gagner leur vie alors que toute la rue vend la même camelote au même prix.

Il est neuf heures du matin. La chaleur est déjà insoutenable. Sur les tréteaux du marché quotidien, les courgettes, les aubergines, les poivrons côtoient les bottes en cuir, la lingerie, les fripes, les babouches et les burnous en laine. Les vieilles, cabas à la main, s'abritent tant bien que mal à l'ombre d'auvents brinquebalants. Je serpente entre les paniers sous les harangues des vendeurs. On se bouscule, on se déporte pour laisser passer un âne chargé de fagots ou une Motobécane lancée à toute berzingue ; on s'interpelle en arabe dialectal mâtiné de français. Un peu plus bas des vieux jouent à la pétanque, héritage colonial qui rythme leurs vies, avec une humeur qui rappelle la Provence. Je saute par-dessus les boulodromes alignés en bandes régulières sous un florilège d'insultes que je comprends sans mal car ce sont les premiers mots d'arabe que nos cousins nous ont appris, ce qui rendait ma mère folle. Plus loin, les cris stridents des enfants devant l'école couvrent brièvement l'incessant brouhaha du quartier. Comme le reste de Casa, Hay Hassani est animé à toute heure de la journée. Ici, les petits cireurs venus du sud s'activent sur les chaussures de messieurs en costume, pendant qu'un Sénégalais expose à même le trottoir tout ce que la contrefaçon fait de mieux. J'y retrouve les *Rébanes* du cousin Mo. Un marchand d'amandes offre des cornets aux enfants pendant que leurs mères discutent. Une coiffeuse ivoirienne propose ses services aux nouvelles habitantes du quartier, celles qu'on appelle les Sub-Sahariennes et qui peuvent passer jusqu'à trois heures à se faire tresser les cheveux. Je longe le parc, passe devant la Pharmacie du Marché en remontant le boulevard, puis tourne à gauche dans la rue 80, juste avant le Café Bouchikhi où les vieux du quartier entament leur journée devant un *nousse-nousse*, un moitié-moitié, moitié café, moitié lait. Leur journal nonchalamment ouvert devant eux, ils attendent qu'un autre *Hajj* assoit sa lassitude matinale auprès de la leur et débatte avec eux des nouvelles du monde pour le reste de la journée. Comme hier. Et comme demain. On dit que la rue 80 porte bien son nom parce que tous ceux qui y traînent ont l'air d'avoir quatre-vingts ans. C'est comme en Amérique ici, les rues n'ont pas de noms mais des numéros, sauf les plus anciennes qui doivent dater d'avant les lotissements. Les rues ont des numéros, les immeubles ont des numéros, les gens sont des numéros. Pour l'Administration en tout cas. Mi Lalla habite rue 14, qui est une des rares à être désignée à la fois par un chiffre et un nom. Rue 14 *Al Warda*. *Al Warda* ça veut dire La Rose, mais je n'en ai jamais vu une seule dans le quartier. Ma mère disait qu'il y avait une roseraie ici du temps des Français mais personne ne s'en souvient. Petits, nous étions fascinés par cette adresse car Warda, c'est aussi le prénom de ma grand-mère et nous imaginions ce que ça nous ferait de vivre dans une rue à notre nom. Rue Ali et Marwan Mansouri, à Clichy. En dehors du parc, Hay Hassani lui aussi, dont les allées bordées de ficus et de palmiers se perdent dans des bosquets d'eucalyptus, il n'y a pas beaucoup d'espaces verts. Les vieilles, Mi Lalla en tête, s'inventent des jardins en fleurissant leurs minuscules balcons de bougainvilliers grimpants et de jasmins odorants. Rares sont les fleurs qui résistent à la chaleur de Casa et encore moins à la sécheresse poussiéreuse des rues de Hay Hassani.

Tout me paraissait tellement plus grand quand nous étions gosses et que Maman nous lâchait au milieu des étals. Les cousins se moquaient de nous – *le marché c'est une activité de bonnes femmes* – et Ali m'avait vite abandonné pour aller faire les quatre cents coups avec Mo et les autres. Foued était encore bébé et ma grand-mère s'en occupait avec joie. Il n'y avait pas encore le tramway à l'époque et nous allions rarement dans le centre de Casa. Aujourd'hui il me suffirait de prendre un petit taxi rouge, comme celui de Mo, pour me retrouver dans le Mâarif, mais je préfère déambuler dans les rues de l'enfance de mon père et l'imaginer à tous ces endroits que le temps a effacés. J'aperçois une pâtisserie au coin de la rue suivante. Un peu de sucre redonnerait des forces à Mi Lalla. Elle raffole des cornes de gazelle, mais on en offre en général pour fêter des moments heureux, un mariage, une circoncision. Qu'est-ce qu'on mange pour un enterrement ? Si tant est qu'on ait faim. Je n'en reviens pas qu'elle prépare un couscous jeudi soir ! Qui en prendra ? Mo sans doute, peut-être mes frères et moi. Je n'ai presque rien avalé depuis deux jours et je sens que j'ai perdu du poids. Dans l'avion, j'ai insisté pour que Kabic s'alimente un peu, mais je n'ai pas pu toucher au déjeuner qu'on a posé devant moi. Je voudrais tant que Mi Lalla prenne autre chose que le traditionnel lait caillé et des dattes. J'espère la tenter en lui achetant des baklavas. Sur la devanture de la pharmacie voisine, deux hommes s'échinent à accrocher une enseigne toute neuve. On peut y lire *affiliée à l'Institut Pasteur de Paris* en arabe et en français. Le pharmacien en blouse blanche leur crie des instructions en marocain ; *plus à gauche ! à droite ! en haut ! en bas !* Les ouvriers ne semblent pas y prêter la moindre attention. Un homme, plus jeune et en blouse blanche lui aussi, invective le pharmacien en français afin que les passants ne comprennent pas ce qu'ils se disent.

— On ne peut pas mettre ça, Papa, c'est un mensonge.

— Quoi mon fils, l'Institut Pasteur, c'est pas à Paris ?

— Si, évidemment.

— Et quand tu as fait tes études là-bas avec la bourse, tu n'es pas allé leur proposer de travailler pour eux peut-être ?

— Si.

— Et tu n'es pas mon fils ?

— Si.

— Et quand un fils a encore son père, on dit quoi ? Qu'il est affilié. Alors si tu es affilié à moi, et que tu as travaillé pour l'Institut Pasteur, c'est comme si j'y avais travaillé moi, et c'est pour ça que la pharmacie elle est affiliée à l'Institut Pasteur de Paris. Il n'y a pas de mensonge !

— Sauf que j'y ai seulement fait un stage de trois mois, Papa !

— Et alors ? C'est de ma faute si tu n'es pas foutu d'y rester ? Tu as de la chance que je te rattrape le coup !

J'éclate de rire malgré moi. Le fils me lance un regard gêné sous l'œil noir de son père. Ils savent que je suis un *zmagri*, un Arabe de France, et que j'ai compris leur conversation. Je m'engouffre dans la pâtisserie pour leur échapper et éviter les foudres du pharmacien. Jamais mon père ne nous a contraints à quoi que ce soit. Certes, il voulait qu'on se sente davantage marocains, qu'on aime les racines que lui et ma mère personnifiaient, qu'on leur soit affiliés comme dirait le pharmacien. Mais les racines, chez nous, c'étaient les femmes qui les donnaient ; la cuisine de Mi Lalla quand nous venions en vacances ici et celle de ma mère à Clichy, son fameux tajine aux olives. Mon père, lui, quelles racines avait-il à nous offrir ? Un garage qui ne nous intéressait guère, une langue qu'il nous parlait à peine, une religion qu'il ne pratiquait pas, une histoire qu'il ne nous racontait jamais. S'il n'était pas mort, je ne serais sans doute jamais revenu au Maroc. Ou peut-être pour enterrer Mi Lalla.

Pourquoi ne l'ai-je jamais questionné sur son pays ? Je ne sais pas. J'avais honte ; de cette honte qui donne honte d'avoir honte. Comme lorsque je disais à mes camarades que ma mère était caissière alors qu'elle empilait des boîtes de conserve au supermarché. Mensonges minables de ceux qui ont vraiment honte. J'aurais pu raconter qu'elle était secrétaire ou employée de mairie, mais on aurait tout de suite démasqué la supercherie. Alors que caissière, c'était suffisamment modeste pour être plausible et alléger ma honte. Le jour où elle a quitté ce boulot pour faire des gardes d'enfants, j'ai été soulagé. Tous les adolescents en passent par là. Je les vois bien au collège. Ils refusent d'embrasser le parent qui les conduit le matin ou exigent de descendre de voiture au coin de la rue, pour ne pas être aperçus par les copains. Ils veulent être pris pour des adultes et ils ont encore le lait qui leur coule du nez. Mais ils savent qui ils sont, contrairement à moi qui me le demande encore parfois. Souvent. Et ici, à Casa, je me retrouve au milieu de gens qui me ressemblent et pourtant n'ont rien à voir avec ce que je suis, ce que je sais, ce que je sens. En fait je me rends compte à présent que le sentiment qui me taraudait le plus quand j'étais adolescent, ce n'était pas seulement la honte mais surtout la peur. J'avais peur qu'on me confonde avec eux. Eux qui n'ont pas d'éducation. Eux, ceux de Sidi Moumen et de Hay Hassani. Eux, mes grands-parents. Eux, mes parents.

Maintenant que mon père est mort, lui qui voulait tellement nous parler de son pays, j'ai un regret immense de ne jamais l'avoir laissé, parce qu'au fond, en voulant nous faire aimer le Maroc, il voulait surtout que nous l'aimions lui, et que nous sachions qu'il nous aimait.

Passé le seuil de la pâtisserie, le parfum du sucre me monte à la tête. Les vitrines regorgent de friandises enrobées de pâte d'amande rose ou verte que le pâtissier a généreusement décorée de perles en sucre ou de confettis de noix de coco. Les gâteaux français trônent un peu plus loin au-dessus d'étiquettes où sont inscrits leurs noms en arabe et en français phonétique ; *iclair kafé*, *milfeilly*, *mireng alla chentiyi*.

Sur la gauche, alignés au cordeau comme des soldats dans de grands plats de couleur, les baklavas multiplient les formes et les saveurs ; triangulaires, en losange, carrés, rectangulaires, au miel et aux amandes, aux pistaches (les préférés de mon père), aux noix, aux dattes, aux raisins secs, à la fleur d'oranger, à la rose, au citron, à la crème de café. Certains suintent le sirop ou le miel dans lesquels ils trempaient encore il y a une heure ou deux et qui n'a pas encore cristallisé. Dans la vitrine centrale, les guêpes se régalent des coulures échappées des *m'semmens*, ces petites crêpes carrées nappées de beurre et de miel. Les vendeuses sont trop occupées ou trop blasées pour s'en inquiéter et servent les clientes avec une régularité de métronome. L'une d'elles (une guêpe, pas une vendeuse) s'est pris la patte arrière dans l'épaisseur d'une goutte de sirop. Elle ne semble pas paniquée et continue à butiner dans le bourdonnement sourd de ses consœurs ; rien ne l'empêchera de savourer ce que la vie met sur son chemin. Tôt ou tard, elle se libérera ; au pire elle y perdra une patte qui restera collée au sirop. Bien sûr, elle volera moins bien, son équilibre sera perturbé, mais cette amputation finira par cicatriser et elle s'adaptera à sa nouvelle vie.

Je regarde autour de moi en attendant mon tour. Les femmes chuchotent les derniers potins dans la queue pendant que les hommes sirotent leur café, de l'autre côté de la rue, cigarette dans une main et journal dans l'autre. On aperçoit d'ici la fumée. On n'a plus l'habitude à Paris, ni de la cigarette, ni des hommes qui passent leur vie au café. Je remercie en silence mes parents de ne pas nous avoir élevés dans ce paradoxe constant de la société marocaine, où les hommes ne se mélangent jamais aux femmes tout en leur imposant un code de conduite dont ils s'épargnent eux-mêmes les contraintes. Je songe à mon père, à sa joie de gâter ma mère dès que le garage lui en donnait les moyens, c'est-à-dire pas souvent, mais le cœur y était. Je me demande s'il se comportait comme tous les autres quand il vivait ici ? Si mon grand-père traitait Mi Lalla avec respect et amour. Kabic m'a dit que jamais une femme n'a autant été aimée. Bien sûr, la France et ma mère ont permis à mon père de devenir l'homme et le mari qu'il était. C'est ça qu'il voulait dire quand il répétait que le Maroc ce n'était pas ce que je croyais ? Cette société macho en apparence mais qui ne tournerait pas sans les femmes ? Ces journées oisives que des hommes, manifestement au chômage, passent entre eux pendant que leurs femmes s'assurent qu'ils auront de quoi dîner et que leurs enfants seront lavés et couchés ?

Un petit commis a patiemment disposé les cornes de gazelle dans un long plat ovale. Il a suivi la courbure du récipient avec une précision d'horloger suisse, au mépris des motifs géométriques et monochromes typiques de la faïence de Fès. La vendeuse me demande ce que je veux. *Baklavas. Ah, français ?* lance-t-elle en arabe. Puis avec la voix traînante des pestes qui ont le dessus, elle détache ses syllabes comme on le ferait avec un enfant. Ses collègues se repassent son sourire narquois en ricanant. Je ne peux pas m'empêcher de songer qu'elles n'afficheraient pas cette insolence si je n'étais pas arabe, qu'elles parleraient autrement à un blanc. Leur attitude illustre exactement la raison pour laquelle mes frères et moi n'aimions pas venir au Maroc. Les moqueries, les humiliations constantes, de nos cousins, des voisins, des commerçants ou des garçons de café. Casa, ce n'est pas Tanger ou Marrakech. Il n'y a que les émigrés qui viennent ici ; ceux de France, de Belgique, d'Espagne, des Pays-Bas, ceux d'Angleterre et d'Allemagne ou d'Italie. De Suisse. Ceux qui envoient une partie de leur salaire à un père, un frère, un oncle ou un neveu qui profite, affalé devant un *nousse-nousse*, de cette vie que les exilés ont laissée derrière eux. Oh, dans les boutiques, on nous demande toujours de payer en euros. Mais la monnaie, comme la jalousie, se rend en dirhams.

*Combien tu veux ? Cent grammes ? Deux cents grammes*. J'indique deux, du doigt. La balance marque deux cent quarante grammes mais la vendeuse ne prend pas la peine de rectifier. Elle me tend un ticket sans décompter le surplus. Ici on paie à la caisse centrale, un système qui semble archaïque à l'ère d'Internet, mais quand il n'y a pas de travail, on s'accroche à n'importe quel petit boulot et, même si les vendeuses pourraient très bien encaisser les clients, le poste de caissière centrale, dans la plupart des petits commerces, demeure. En Occident on fait tout soi-même et on évite soigneusement de rentrer en contact avec l'autre. On ne se parle plus, on s'envoie des SMS ; on ne fait plus connaissance, on se rencontre par application interposée ; on ne rit plus, on LOL ; on n'a plus d'émotions mais des émojis. La caissière me dit *bijour* en ricanant. Sans doute le seul mot de français qu'elle connaisse, mais elle le fait sans malice. Elle a seize, dix-sept ans au plus et n'a pas encore été corrompue par la mesquinerie de ses collègues. Je lui réponds quelques mots en mauvais arabe. *Algérien ?* me demande-t-elle, *non, marocain ! Enfin, français ! J'ai un accent bâtard, un peu algérien, un peu français, beaucoup n'importe quoi... Mais je peux prononcer tous les plats marocains avec l'accent de Casa, c'est ma grand-mère qui m'a appris !* Elle éclate de rire en me rendant la monnaie. Il y a dans ce rire adolescent la même candeur que dans celui de mes élèves, la même énergie, mis à part un détail, rares sont les ados de France qui ont besoin de bosser pour gagner leur vie. Une chose de plus que m'a évitée le sacrifice de mes parents.

En quittant la pâtisserie, j'aperçois une vieille femme en caftan blanc à manches longues. Chaque fois qu'un client la dépasse, sa main droite point timidement puis rentre dans sa cachette, comme une tortue dans sa carapace. Elle me sourit en baissant les yeux. J'hésite à lui donner quelques dirhams, mais elle n'a pas l'air d'une mendiante et je ne voudrais pas heurter son amour-propre. Une dame qui pourrait être sa fille s'approche d'elle et lui tend une pièce. La vieille femme l'accepte avec la reconnaissance discrète de la nécessité, puis me lance un regard d'une douceur qui m'émeut. Sans chercher à comprendre, je dépose toute ma monnaie dans le creux de sa main. Ce qui me semble une misère est pour elle une fortune. Elle pose la main sur son cœur puis sur le mien, *wouldi, wouldi*, mon fils, puis retourne se poster devant la pâtisserie.

Cette femme m'a touché. J'en tremble. Je traverse la rue pour m'installer à la terrasse du grand café en ouvrant le sachet de baklavas. J'ai besoin de sucre. Un garçon de café aux allures d'acteur d'après-guerre, moustache, uniforme noir et tablier blanc comme on n'en voit plus en France, m'aperçoit sans me voir, me salue sans me regarder, et prend ma commande sans m'écouter. *Un nousse-nousse et un verre d'eau. Choukrane.* Les vieux sont plongés dans *Al Massae*, le principal quotidien en arabe du pays. Quelques-uns lisent la presse francophone marocaine, *Le Matin* ou *L'Opinion*, par nostalgie du temps des Français ou besoin d'entretenir la langue que parlent désormais leurs enfants émigrés en France, en Belgique, en Suisse ou même au Québec, et surtout leurs petits-enfants comme moi. Le reste des clients débat de l'absurdité d'une existence qui les conduit ici chaque matin. Jamais on ne s'emporte, jamais on n'essaie de convaincre ou de s'imposer. On secoue la tête, on rit des yeux, parfois des lèvres, on tire sur sa cigarette en haussant les épaules et en laissant les mains, la fumée et les cendres faire la ponctuation ; *inch'Allah, inch'Allah*. Il subsiste, dans cette nonchalante manière de passer ses journées à questionner le monde, une trace d'Existentialisme de l'époque des Français que le Fatalisme oriental a transformée en *à-quoi-bon*. À quoi bon chercher dans ce café, ce quartier, cette ville tentaculaire une réponse au destin ? À quoi bon, puisque tout est écrit, tout est décidé d'avance ? À quoi bon traverser le détroit de Gibraltar quand les autres, les Kabic, les Tarek Mansouri, envoient chaque mois assez d'argent pour maintenir ici une vie misérable ? Oui, misérable ! Oh, pas au sens matériel, on se débrouille toujours pour joindre les deux bouts, mais misérable car sans surprise et sans but. Une existence de résignation, où l'ennui génère l'envie, et l'envie devient un réflexe. On envie le frère, la sœur, le cousin qui ont la belle vie sous un ciel de cheminées à Saint-Étienne, Liège ou Roubaix. Bien sûr, aujourd'hui les usines ne crachent plus leur misère, mais la grisaille a la vie dure. Kabic, mon père, ma mère et les milliers d'immigrés comme eux sont la mémoire du soleil. Le rire de mes parents n'a jamais tari, même sous les insultes. Et des insultes il y en a eu autant en France qu'ici. Pourtant, sans ces émigrés, des quartiers entiers de Casa ou d'Alger ne subsisteraient pas. On les malmène, alors que ce sont des héros. Des héros qui rentrent au pays dans un cercueil et dont les âmes hantent le panthéon des oubliés.

Le garçon m'apporte mon café et un verre d'eau. Sa moue trahit la lassitude de la routine. Je bois le verre d'eau d'une traite et en demande un autre. Le sucre du baklava m'a requinqué. Je ne peux cependant pas gommer de mon esprit le sacrifice qui a été celui de mes parents. Ils supportaient chaque insinuation raciste, chaque moquerie, chaque humiliation avec la dignité des exilés, et viraient tous les mois une partie de leur salaire au pays. En dehors de Mi Lalla qui nous gâtait, mes frères et moi, d'amour et de tajine, jamais la famille ne les a remerciés. Au début, toutes ces choses que nous étions chargés de rapporter ou de poster, nous en recevions la liste en post-scriptum de longues lettres, puis elles sont parvenues par email, à Ali et à moi, avec cette forme d'impatience qui caractérise Internet. *As-tu reçu mon message ? Apportez aussi ceci ou cela.* Aucun s'il te plaît, aucun merci. Au fil des années les listes se faisaient de plus en plus longues et les nouvelles de Casa de plus en plus courtes. Un jour qu'Ali était en voyage d'affaires et que je tardais à répondre, on a écrit à Bérangère en lui demandant d'acheter une poupée Barbie introuvable au Maroc pour une nièce. Elle était enceinte du petit Gabriel et Ali l'a très mal pris. Il a décrété qu'il ne mettrait plus jamais les pieds à Casa, qu'il ne devait rien à ces gens-là et que sa famille était en France. Ne voulant pas ajouter au désarroi de mes parents qui s'ensuivit, je n'avais pas abondé dans son sens, mais il exprimait sans fioritures ce que je pensais tout bas. C'est pour cela qu'à la mort de mon père, Ali était furieux que celui-ci ait décidé de se faire inhumer au Maroc. Nous étions non seulement condamnés à y retourner, à revoir cette famille de profiteurs pour l'enterrement, mais aussi pour le reste de nos vies. À moins de renoncer à nous rendre sur sa tombe.

Je plonge la main au fond de ma poche pour régler mon café et y trouve la photo d'hier. Celle d'un petit garçon de quatre ou cinq ans. Sans doute mon père, puisqu'elle était dans la boîte à chaussure de Kabic. Au dos de celle-ci, deux écritures arabes différentes se mélangent. Une au Bic vert, l'autre au crayon noir. Je ne comprends pas le texte, mais je reconnais le nom de mon père, que j'avais appris à écrire en arabe en même temps que le mien : Tarek, l'étoile du matin. Il est barré d'une ligne rouge imprimée en continu ; *Papier-de-Luxe-KODAK*. Et une date, en chiffres. 11.07.1966. Je suis persuadé que ces deux messages sont plus qu'une simple annotation au dos d'une vieille photo. On dirait qu'ils se font écho, qu'ils se répondent. Mon grand-père a dû l'envoyer à Kabic pour qu'il garde le lien avec ceux restés au pays. Je lui demanderai plus tard.

La ville grouille devant moi. Les veilles Peugeot, Renault et autres guimbardes qui, après que la soif du neuf et la frénésie de la consommation en Europe les a délaissées, trouvent un deuxième souffle dans toute l'Afrique, défient le chaos de Casablanca à grands coups de klaxon. Ici on hisse un matelas sur le toit d'une bagnole toute rouillée, là on traîne une charrette à bras débordant d'agrumes au milieu des slaloms de vélos, de mobylettes et d'une école buissonnière de footballeurs. Dans la chaleur poussiéreuse du matin, la ville blanche avale les humbles vies des humbles gens. Un tramway ultra moderne, tout droit sorti d'une publicité pour Bordeaux ou Strasbourg, méprise Hay Hassani à grande vitesse depuis sa voie réservée. Sur son flanc, l'image d'un téléphone mobile dernier cri vante les mérites de la connectivité. La destination finale du service clignote sur un panneau digital : Anfa, sans doute le quartier le plus chic de Casa, où les maisons ont des airs d'ambassade. Une camionnette s'arrête devant la boucherie qui jouxte la terrasse du café. Le livreur empile des cages remplies de poulets à même le trottoir. Apeurée par le grondement des hommes et le braiment des ânes, la volaille bat des ailes dans une cacophonie assourdissante. Au fond d'une cage, j'aperçois un poulet mort, piétiné par ses congénères. Son cou déplumé pendouille entre deux barreaux.

*Tu aurais dû me réveiller, Marwan, je t'aurais accompagné.* Kabic s'assoit près de moi et commande un *nousse-nousse* au garçon d'un signe de la main.

— Tu as bien dormi ? Tu as récupéré du voyage ?

— Oui, j'en avais besoin. Je me doutais que tu serais sorti acheter un peu de réconfort pour ta grand-mère, dit Kabic en plongeant la main dans le sachet de baklavas. Et comme tout Marocain, tu t'installes ici pour bader et observer la cohue. Difficile de rentrer au pays.

— Difficile de rentrer au pays ? Je ne pourrais pas dire, ce n'est pas vraiment le mien.

— Qui a dit que je parlais de toi, Marwan ?

— Toi ? Mais tu gambadais comme un cabri hier à l'aéroport. Je pensais que tu avais hâte de retrouver Casa ! Tu n'es pas heureux d'être là ?

— Les circonstances m'en empêchent.

— Oui, moi aussi, ça me fait bizarre d'être ici pour enterrer mon père. Je suis content que tu sois venu, j'avais peur de faire le voyage tout seul.

— Peur ? s'étonne Kabic.

— Tu sais, je ne me suis jamais senti chez moi ici.

— Et en France, Marwan ? Tu te sens chez toi ?

— Oui. Enfin, plus qu'ici. En France on me voit comme un Arabe mais…

— Mais tu es un Arabe.

— Non. Je suis un Français avec une gueule d'Arabe. Et encore, ça dépend à qui je parle !

— La question, Marwan, ce n'est pas ce que pensent les autres quand ils te voient, mais comment tu te vois toi. C'est normal de ne pas te sentir complètement chez toi ici. Si tu commençais par accepter d'être l'enfant de deux pays, tu te sentirais mieux, en France et ici.

— Facile à dire !

— Non, pas facile. Je suis marocain, je suis sorti de la terre de ce pays, mais je n'y ai passé que les dix-neuf premières années de ma vie. Je vis en France depuis cinquante-quatre ans.

— Et où te sens-tu chez toi ?

— Nulle part.

— Nulle part ?

— Je suis vieux, Marwan, tout me choque ici, ce n'est plus le Maroc de mon enfance. Mais le bon vieux temps c'est toujours le temps d'avant, non ? Que l'on soit français ou marocain. Passé un certain âge, on ne vit que des souvenirs que l'on idéalise. C'était pareil pour ton père.

— Alors pourquoi il veut se faire enterrer ici ?

— Lui seul le sait, Marwan. On peut supposer, bien sûr…

— Supposer quoi ?

— Que la nostalgie de sa vie d'ici était plus grande que la réalité qu'il vivait en France.

— Mais il y a ma mère en France, ses amis, ses fils, son petit-fils !

— On ne possède qu'une chose Marwan, sa propre vie. Ce n'est pas parce que ton père voulait rentrer au Maroc qu'il n'a pas aimé sa vie en France. Il a choisi de la passer là-bas et de la finir ici.

— Qu'en pense Mi Lalla ? Comment va-t-elle ?

— Mal. Perdre un fils, j'en sais quelque chose, c'est une injustice à laquelle personne n'est préparé, mais ta grand-mère est plus forte qu'on ne pense. Elle a déjà tout préparé pour les obsèques et dans quarante jours, quand vous reviendrez, elle ne sera plus aussi frêle.

Les quarante jours ! J'avais oublié ! Jamais Morin ne m'accordera de congés après le coup de l'arrêt maladie !

C'est la tradition, je ne peux pas y couper. Ma mère sera tellement déçue si je ne les accompagne pas.

— Tu penses qu'on a vraiment besoin de revenir tous à Casa dans quarante jours pour le repas ?

— Comment ça, Marwan ?

— Je veux dire que ce sont des circonstances particulières, on habite en France et on ne roule pas sur l'or.

— Si c'est une question d'argent, je suis sûr qu'Ali pourra t'avancer la somme, lance Kabic en fronçant les sourcils.

— Ça m'étonnerait…

— Tu lui as demandé ?

— Non.

— Alors, pourquoi t'inquiéter de la réponse tant que tu n'as pas posé la question ?

— Ali me prêtera peut-être l'argent, mais il ne viendra pas une deuxième fois ici !

— Ça aussi tu le lui as demandé ?

— Il déteste le Maroc presque autant qu'il détestait mon père. C'est pour ma mère qu'il vient à l'enterrement, mais après, pourquoi il viendrait ? Pourquoi on viendrait tous ? Mon père s'en fiche bien maintenant.

— Mais ce n'est pas que pour lui que vous reviendrez.

— Ah bon ? Et pour qui alors ?

Kabic se penche pour attraper un cendrier sur la table voisine, puis allume une cigarette. Il ne dit rien, le temps de tirer quelques bouffées de goudron. Le garçon dépose son *nousse-nousse* et un verre d'eau près de son paquet de cigarettes. Kabic lui tend un billet de cinquante dirhams en faisant signe du doigt, *pour les deux cafés*. Sans un merci, l'autre laisse tomber la monnaie sur la table et retourne à son service.

— Pour toi et tes frères. Pour ta mère. Pour Mi Lalla. Le deuil, plus on le partage, moins il est lourd. Il faut évoquer les morts, il faut rire et être mélancolique ensemble à leur mémoire, écouter les autres en parler, partager des histoires sur eux que personne d'autre ne connaît. Tu te souviens de mon ami Manuel, chez Bic ? Quarante-deux ans nous avons travaillé ensemble ! Quand il est mort, je suis allé à l'église. C'est Yolanda qui me l'avait demandé. On a beaucoup pleuré à l'église, sur le parvis, au bar, tout le monde était triste. Puis nous sommes allés chez Yolanda. Pour être ensemble. Il y avait des photos de Manuel partout. Yolanda m'a montré la maison qu'ils s'étaient fait construire en Espagne. Manuel n'y a passé que deux étés. Elle était perdue, alors je lui ai raconté que chez nous on préparait un grand repas sept jours après l'enterrement, puis un autre après quarante jours, puis le septième mois, puis au premier anniversaire du décès.

— Elle a dû se dire que les Musulmans n'en finissent jamais de porter leur deuil !

— Détrompe-toi ! Elle a suivi notre tradition à la lettre. Elle, l'Espagnole, catholique jusqu'aux bouts des ongles, qui avait enterré son mari en mantille et en bas noirs. Elle m'a confié que c'est ce qui lui a permis de surmonter la solitude, de ranimer le souvenir de Manuel en l'évoquant avec ceux qui l'avaient connu. Elle a découvert tellement de choses sur lui, des bonnes, des moins bonnes. Et au bout d'un an elle a fait son deuil de l'homme qui avait partagé sa vie et dont elle avait vu désormais toutes les facettes. On ne connaît jamais les gens entièrement. Il y a toujours des surprises qui surgissent *post mortem*.

— Mais notre famille n'a jamais été religieuse !

— C'est une tradition marocaine qui n'a rien à voir avec l'Islam, au contraire. Les intransigeants essaient de nous la faire abandonner ! Mais nos traditions sont anciennes et très mélangées ; arabes, berbères, turques, espagnoles, françaises. C'est ça le Maroc !

— Peut-être que c'est ce que voulait dire mon père quand il me répétait que le Maroc ce n'était pas ce que je pensais.

— Le Maroc de ton père, le mien, celui de ta mère ou de Mi Lalla ne sera jamais le tien. Le tien, c'est à toi de le trouver. C'est ça que voulait dire ton père.

Kabic se lève. *Rentrons ! J'ai promis à ta grand-mère de ne pas la laisser seule trop longtemps.* Il jette un coup d'œil autour de nous, à ces vieux dont les vies n'ont pas été la sienne.

— Tu dois connaître la part d'ombre de ta famille. Mais souviens-toi qu'il n'y a jamais d'ombre sans lumière.

# 17

Ce que je sais de l'enfance de mon père, c'est à Kabic que je le dois. Mon père, lui, se confiait peu sur sa jeunesse marocaine. Il avait cependant gardé une besace en cuir de chameau qui avait appartenu à mon grand-père. C'est un objet sans beauté et sans valeur autre que sentimentale, dont ils se sont servis tous les deux à plusieurs décennies d'écart. Ils y trimbalaient leurs précieux outils de mécanos. Aujourd'hui, elle porte la riche patine de l'humble quotidien des ouvriers : des taches de sueur et des traces de cambouis.

Quand je suis allé rue de Paris pour discuter de l'avenir du garage avec Amine, elle était accrochée à un clou, à hauteur d'épaule, sous le halo clignotant d'un néon que mon père promettait de réparer depuis des années. Elle veillait sur le garage et notre famille. Chaque matin il en frottait rituellement le cuir en buvant son thé à la menthe. Je tenais à ce qu'elle revienne à Mi Lalla, elle qui en a aimé les deux propriétaires. Elle l'a tout de suite reconnue. Ses yeux ont hésité entre les larmes et la joie. Elle l'a prise, l'a ouverte en caressant les boucles usées et la bandoulière fissurée par le poids des outils, puis elle en a respiré le cœur. L'odeur du cuir a depuis longtemps cédé la place à celles, plus âcres, d'huile de moteur, d'essence et de rouille. Je lui ai expliqué, dans mon mauvais arabe, que je la lui offrais, que cette besace devait finir sa vie à Casa, comme mon père. Elle a répondu *Llâ, llâ ! Non !* et, en détachant bien ses mots pour que je comprenne, *tu dois la garder. C'est toi que ton père a choisi pour rentrer chez lui. C'est ton héritage. De l'avoir revue me suffit. De l'avoir touchée et respirée, ça me rappelle de bons souvenirs. Toi, tu vas avoir besoin d'elle pour t'en forger de nouveaux. Et parfois, toi aussi tu l'ouvriras pour retrouver les odeurs oubliées, celle du Maroc et celle de la France qui s'y mélangent si bien. Et celles de ton père aussi. Tu en as plus besoin que moi, Marwan.* Elle me sourit sous l'œil protecteur de Kabic qui s'est assis à ses côtés sur le petit canapé près de la fenêtre, dans la caresse bienveillante du soleil. Quand je parle, même en arabe, Kabic traduit à l'oreille de ma grand-mère. C'est la première fois que je ressens à ce point la barrière de la langue comme un handicap. Je ne peux ni partager ma peine, ni prendre sur moi celle de ma petite grand-mère dont la fragilité m'émeut.

— Devant la pâtisserie, j'ai fait l'aumône à une femme en caftan blanc.

— C'est bien, dit Mi Lalla.

— Plusieurs personnes lui ont donné de l'argent.

— C'est une veuve. Elle n'a sûrement personne pour s'occuper d'elle et aucun revenu.

— Ah ? C'est ça ? Je me demandais. Tu l'as fait toi, quand tu es devenue veuve ?

Mi Lalla baisse les yeux. Kabic me fait signe que ce n'est pas une conversation qu'elle a envie d'avoir, surtout pas avec son petit-fils.

— Quand mon mari est mort, ton père était inquiet de ce que j'allais devenir. Il a repris le garage pendant quelque temps, puis a commencé à économiser pour pouvoir s'installer en France. Une fois ta mère et lui partis, il l'a vendu pour pouvoir m'acheter ce petit appartement. Ton père ne voulait pas que je sois forcée de mendier comme la femme à qui tu as fait l'aumône aujourd'hui.

J'imagine soudain ma mère faire la manche devant une boulangerie de Clichy, ignorée par les clients pressés, les mères de famille aux mains remplies de viennoiseries, et les ados blasés, les yeux rivés sur leur téléphone. Je me demande combien de passants s'arrêteraient, si c'était le cas, pour lui donner une pièce ou même la regarder, lui sourire. Et qui plus est si elle était vêtue d'un caftan blanc. Au mieux ils penseraient qu'elle n'a pas l'air dans le besoin, au pire que c'est une migrante qui profite de la générosité du système. Ou bien ils s'indigneraient de sa situation en ponctuant leur compassion d'un *que fait l'État ?* car ils sont rares ceux qui songent *et si c'était moi, un jour, qui me retrouvais dans cette situation ? Et si je décidais d'aider cette femme ou au moins de lui parler ?*

Je me souviens d'un clochard dans le métro il y a trois ou quatre mois. Il quémandait poliment quelques euros ou un ticket-restaurant auprès des passagers. Peu de voyageurs lui prêtaient attention. Les touristes, qui ne comprenaient pas le français, semblaient surpris que la misère humaine hante ainsi la ville la plus élégante du monde. Quant aux Parisiens, ils piquaient du nez dans leur livre ou augmentaient le volume de leur musique le temps que le dérangement s'éloigne de leurs vies privilégiées. Lorsque j'avais sorti deux euros, Capucine s'était énervée. *Tu n'y penses pas ! Ils font tous partie de réseaux organisés tenus par les Roumains. Si tu leur donnes, tu encourages la mendicité, tu comprends ? C'est pour ça que le Samu Social existe ! On paie assez d'impôts !* J'avais gardé la pièce serrée dans mon poing en feignant de regarder par la fenêtre. L'homme, qui m'avait vu ouvrir mon portefeuille, s'était arrêté à ma hauteur puis avait poursuivi son chemin en effleurant mon épaule de sa dignité. *Pauvre type !* avait appuyé Capucine, sans que je sache si elle parlait de moi ou du mendiant.

— C'est le devoir de la communauté de s'assurer que les veuves puissent subsister, m'explique Kabic. Il faut toujours secourir les âmes seules, Marwan, quelles qu'elles soient.

— C'est le Coran qui le veut ?

— Oui, tu le sais. Tu l'as lu. Le *Zakat*, la charité, c'est le troisième pilier de l'Islam, continue Kabic en arabe.

— Mais je ne suis pas pratiquant, sans doute pas croyant non plus.

— Ça n'a pas d'importance ! Quand un précepte est bon, doit-on s'inquiéter d'où il provient ?

— C'est aussi le désert qui le veut, poursuit Mi Lalla.

— Le désert ?

Mon mauvais arabe me joue sans doute des tours.

— N'oublie jamais que nous sommes les enfants du Sahara. Dans le Sahara, tu ne demandes pas à celui qui a soif d'où il vient, où il va. Tu partages ton eau avec lui parce que c'est peut-être lui qui te protégera de son manteau quand le vent de sable se lèvera.

Mi Lalla pointe une main osseuse vers la fenêtre comme si le ciel allait changer. Elle, la Berbère du Moyen Atlas qui a grandi entre désert et montagne, possède la sagesse des bergers. Mon père m'a raconté qu'à treize ans, sa famille l'avait chassée car il n'y avait plus assez de place et de nourriture pour elle. Elle a dû se débrouiller seule, aller à la ville et travailler pour vivre. Je crois qu'elle a commencé comme soubrette dans une famille d'Anfa. Puis elle s'est retrouvée à Sidi Moumen. Comme elle était très jolie et un peu sauvage, tous les garçons lui couraient après. Kabic et mon grand-père en tête, qui ne devaient pas être beaucoup plus vieux qu'elle, même si, comme la plupart à Sidi Moumen, ils ne connaissaient pas leur date de naissance. Seulement l'année.

— Ta grand-mère vendait des oranges dans le Mâarif, raconte Kabic sous l'œil de Mi Lalla.

— Avant ça, j'avais travaillé chez des riches à Anfa. Je connaissais mal l'arabe. Chez moi, on ne parlait que le berbère. J'apprenais vite, j'étais gamine, mais pas assez vite pour la gouvernante et après sept mois, elle m'a mise à la rue. Je me suis retrouvée à Sidi Moumen, sans vraiment savoir comment. Les Berbères du quartier vivaient tous regroupés, c'est comme ça que j'ai rencontré Kabic. Enfin, sa mère. Tu te souviens, Kabic ?

— *El hamdoulilah !* Si je me souviens ! Ma mère venait aussi du Moyen Atlas. Elle avait eu un parcours similaire au tien, alors on t'a recueillie. C'était plus facile, on parlait le même dialecte berbère que Mi Lalla chez nous.

— Et mon grand-père aussi le parlait ? je demande.

— Non, c'est Kabic qui faisait l'interprète, au début, comme maintenant avec toi, confie Mi Lalla.

— Et vous êtes tombés amoureux comme ça ?

Kabic me demande de faire du thé à la menthe. A priori, *tu as des questions à nous poser*, me taquine-t-il en souriant. Je les entends discuter en berbère depuis la cuisine, sans comprendre ce qu'ils se disent. Mi Lalla parle à voix basse. Elle est encore faible. Quand je reviens, ils ont changé de place. Kabic s'est installé dans un fauteuil en toile et m'a laissé le côté du canapé près de Mi Lalla. Je sers le thé et tends un gobelet ciselé à ma grand-mère, puis à Kabic.

— Alors, comment vous vous êtes rencontrés ?

— Il était très beau, tu sais, raconte Mi Lalla avec mélancolie. J'avais presque quatorze ans et vous, combien ?

— Dix-sept, pas plus, répond Kabic.

— Meryem, la mère de Kabic, m'a accueillie comme sa propre fille. Elle avait deux autres filles, ça ne faisait aucune différence pour elle, mais pour moi, moi que mon pèrc avait chassée, que les riches d'Anfa avaient chassée, j'ai compris qu'Allah mettait cette femme généreuse sur mon chemin pour que je puisse m'en sortir. Ta famille, tu le sais, est devenu la mienne, lance-t-elle à Kabic avec des larmes dans les yeux. Comme la mienne est la tienne maintenant.

Kabic se pose la main sur le cœur en invoquant Allah et le nom de mon grand-père qu'il a connu dans un dénuement que je ne peux même pas imaginer. Mon père, lui, aurait plutôt donné sa vie que de nous offrir la misère pour enfance. Mi Lalla a commencé en vendant des oranges dans le Mâarif. Kabic et mon grand-père lui avaient bricolé une charrette avec des pneus lisses abandonnés et des vieilles planches tenues par des câbles électriques qu'ils chipaient la nuit sur les chantiers. Et tous les matins Mi Lalla traînait sa petite charrette chargée d'agrumes jusque dans le centre de Casa.

— Mais il devait y avoir pas mal de concurrence, non ?

— Ah, mais les autres ne possédaient pas l'accessoire de la réussite, me répond Kabic d'un air malin.

— Les garçons m'avaient confectionné un panneau que je posais au sommet de la pyramide de fruits, explique Mi Lalla.

— À l'époque, le Mâarif était truffé d'Espagnols, au quartier Bourgogne, c'étaient les Italiens, les Juifs vers le boulevard de Bordeaux, quant aux Français, ceux qui étaient restés après l'Indépendance, ils aimaient flâner vers le quartier Habbous. Alors on avait rédigé un message que tout le monde pourrait comprendre, dit Kabic. Je m'en souviens encore, ça disait…

— *El meilleur jus de naranja di tutto Casablanca, Shalom !* le coupe Mi Lalla. *Lwaqt kayter !*

— *Lwaqt kayter*, reprend Kabic. Comme le temps passe !

Mon grand-père et lui avaient déjà vécu dix-sept années d'impatience et nourrissaient Mi Lalla de leur rêve d'avenir doré en France. La petite vendeuse d'agrumes se contentait de sourire en écoutant.

Parfois elle se prenait au jeu et s'imaginait dans une de ces belles robes que portaient les dames européennes, le dimanche, à la sortie de la cathédrale du Sacré-Cœur. Elles la prenaient souvent pour une mendiante et lui consentaient un sourire au sortir de la messe, quand le chauffeur refermait la portière de leur belle voiture, et parfois quelques centimes, quand la charité se rappelait à elles. Mais la France, c'était loin, Mi Lalla le voyait bien, et il n'y avait pas de place pour elle dans les projets de Kabic et de mon grand-père.

Elle baisse les yeux et me confie qu'elle était déjà amoureuse mais se taisait parce que, *à cette époque, les filles ne montraient pas ce genre de choses.* Elle ne voulait pas les détourner de la vie qu'ils s'étaient imaginée depuis toujours. Kabic ne dit rien. Il avait enseigné à Mi Lalla quelques mots de français ; *merci missieur*, *bijour madame.* Pas grand-chose, mais suffisamment pour avoir l'air moins sauvage. Elle se plaçait en général près du vendeur d'amandes grillées, un vieux Juif de Tétouan qui parlait espagnol. Ses amandes étaient tellement salées que les clients se tournaient systématiquement vers Mi Lalla pour un jus d'orange. Elle gagnait assez bien sa vie, surtout les vendredis et les samedis soir quand la jeunesse dorée arrivait au cinéma sur ses scooters *Rumi.*

Parfois, quand on passait un film d'Hollywood en anglais, les GI's de la base américaine de Kenitra se pressaient devant l'entrée avec leurs fiancées françaises ou italiennes. C'étaient les meilleurs clients ! Ils avaient beaucoup d'argent et payaient souvent en dollars que Kabic échangeait à un tailleur juif de la rue de Verdun qui rêvait d'Amérique pour ses fils et a fini à Montréal après la Guerre des Six Jours. La vie était bien différente pour ceux de Sidi Moumen. La plupart d'entre eux ne rêvaient de rien et vivotaient au gré du boulot qu'ils glanaient ici et là, sur les chantiers, au port ou aux alentours de la gare. *Jusqu'au jour où ton grand-père est arrivé un soir avec un sourire jusqu'aux oreilles et les billets de bateau pour Nantes.* Ils partiraient dans huit mois. Les garçons avaient économisé pendant plus de trois ans rien que pour la traversée. Leur joie était immense et communicative, pourtant le lendemain Mi Lalla est allé vendre ses oranges avec un pincement au cœur.

— Tu ne me l'as jamais dit, murmure Kabic.

— Tu ne t'en es pas douté ? répond-elle.

— Je t'ai fait tellement de mal, même si c'est une décision qu'on a prise à trois.

— Et maintenant il ne reste que toi et moi. Allah nous donne une leçon.

Mon téléphone sonne. Numéro inconnu. Je ne compte pas prendre l'appel, mais Mi Lalla me fait signe de répondre pendant qu'ils continuent leur discussion en berbère. C'est la compagnie d'assurances qui me prévient qu'un emplacement au cimetière Sidi Al Khadir est disponible. On me propose d'aller le voir dans une heure. En raccrochant, je me rends compte que j'ai reçu plusieurs SMS pendant que nous discutions tous les trois.

Bien arrivés à Algésiras.
Maman est fatiguée mais la traversée de l'Espagne s'est bien passée. Elle a hâte de retrouver le Maroc. Je t'embrasse fort, Marwan.
Ça n'a pas dû être facile pour toi, de prendre l'avion comme ça. Heureusement que Kabic t'accompagnait ! Comment va Mi Lalla ?
PS : Ali est sur les nerfs…

Suis crevé ! Tout le monde n'a pas la chance de voyager en avion !

Te plaquer la veille ou presque ! Maintenant je passe pour une salope aux yeux de tout le monde, tu comprends ?

Je réponds à Foued que je l'aime. Je ne le lui ai jamais dit. Je réponds à Ali que je comprends, que les longs voyages en voiture sont fatigants et que je me rends compte de ce qu'il fait pour notre famille. Qu'il embrasse bien Maman. À Capucine, je ne réponds rien. Son ego s'en est chargé.

Lorsque je retourne au salon, Kabic est de nouveau assis sur le canapé près de Mi Lalla. Il allume une cigarette qu'il place entre les lèvres de ma grand-mère. Je réalise que je ne l'ai jamais vue fumer. Elle ferme les yeux, tire une bouffée qu'elle garde plus longtemps que je n'aurais imaginé, puis souffle lentement la fumée dans un nuage qui embrume leurs visages quelques secondes. Je suis presque gêné de les interrompre pour leur demander s'ils souhaitent venir au cimetière avec moi, voir l'emplacement qui a été choisi par la compagnie d'assurances. Surtout ma petite grand-mère qui n'assistera pas à la mise en terre. Les femmes ne sont pas autorisées à venir aux enterrements. Elles resteront toutes à la maison. *Je ne tiens pas à voir le trou*, m'explique-t-elle. *Je verrai bien assez tôt la tombe le lendemain de la mise en terre quand nous irons avec ta mère et tes tantes. Dis-moi simplement s'il sera près d'un arbre et aura un peu d'ombre les jours de grande chaleur. Il avait perdu le goût du soleil en France, mon fils*. Kabic hoche la tête. Il me rejoindra au cimetière dans une heure.

## 18

Onze heures et demie. La chaleur est intense, *a fortiori* pour un mois de septembre. Je regrette d'être sorti. À quoi ça va me servir de voir le trou, comme dit Mi Lalla ? Ma chemise me colle à la peau. Le soleil me cuit le haut du crâne. Je m'arrête à la fontaine du parc Hay Hassani et me passe un peu d'eau sur la saignée des coudes pour me rafraîchir, comme me l'a appris ma grand-mère. Pas d'enfants, de mamans, de passants à la recherche d'un peu d'ombre. Pas de vieilles sur un banc. Pas une âme. Quel contraste avec le parc Roger Salengro à Clichy, où les cris des gamins font s'envoler les oiseaux ! Le haut-parleur de la mosquée Al Khadir exhorte les fidèles à la prière de la mi-journée. Une bourrasque de *Chergui*, ce vent sec qui transporte le Sahara par-dessus l'Atlas, réveille la nostalgie des étés de mon enfance dans un bruissement d'arbres. Je m'abrite sous les branches d'un vieux caroubier dont les haricots, secoués brutalement par le vent, s'abattent sur moi dans une pluie végétale. Une pellicule de sable recouvre mes bras mouillés et mes lèvres humides. Je ferme les yeux. J'ai la tête qui tourne, la gorge sèche. Je titube vers la fontaine pour me désaltérer puis me dirige vers un banc pour retrouver mes esprits, dans la rengaine lointaine du muezzin.

Soudain, un brouhaha déverse une cohorte de croyants vers la fontaine. Leur anarchie me bouscule. On se lave les mains et le visage en parlant fort, on joue des coudes pour se rapprocher de l'eau sans se soucier des autres. Ces ablutions terminées, le troupeau se rue vers la sortie du parc, me happant malgré moi jusqu'à l'entrée de la mosquée. Les retardataires dévalent la rue à toute berzingue, fendant la cohue de leur empressement. Le fourmillement se déverse de toutes parts sous les incantations du muezzin, se déchausse à la va-vite en s'appuyant sur son voisin, s'enfonce à l'intérieur en hochant du chef, puis s'évanouit dans la géométrie colorée et rafraîchissante des mosaïques. La voix du muezzin meurt enfin. Le soleil écrase la mosquée de sa chaleur estivale. La Foi a avalé ses fidèles le temps d'une prière, abandonnant derrière elle une marée de babouches et de sandales alignées en rangs d'oignons à même le trottoir. Quelques femmes en *haïk* arpentent la liberté que la prière leur concède un moment en enfermant leurs hommes. Elles rattraperont leur dévotion en privé, une fois chez elles et prieront sur un petit tapis usé à l'abri des yeux des autres. J'hésite à enlever mes baskets pour rejoindre la foule à l'intérieur. Est-ce que c'est ça être marocain ? Se précipiter vers une mosquée à heures régulières ? Jamais mon père ne nous y a emmenés. Un jour, Ali lui a demandé pourquoi ni lui, ni ma mère n'allaient jamais prier. Il avait répondu que si nous voulions prier, il nous montrerait, mais que personne ne devait nous y contraindre. Je ne me souviens plus de l'âge que nous avions, Foued n'était pas né. Ali ne comprenait pas. Mon père lui avait expliqué en haussant les épaules. *Tu sais pourquoi ils vont à la mosquée ? Pour être vus par leurs voisins. On prie mieux de chez soi, crois-moi ! Les femmes, elles, savent.* Et les rares fois où nous avions souhaité prier, on l'avait fait en famille. Avec ma mère.

Je regarde les dizaines de paires de chaussures étalées sur le trottoir et comprends soudain ce que mon père voulait dire. Si mes parents ont quitté le Maroc, c'était pour commencer une nouvelle vie, pas pour prolonger celle qu'ils avaient ici. Bien sûr, la nostalgie du pays les hantait ; ma mère ne disait-elle pas qu'au Maroc, ils se sentaient vivants ? Ils y avaient leurs amis, leurs habitudes, leurs souvenirs, mais en France, il y avait la Liberté.

Je repars vers le cimetière en songeant à cette sagesse de mes parents que j'ai si souvent méprisée. Contrairement à ce qu'a affirmé Foued sous le coup de la colère, notre père nous aimait profondément.

De l'autre côté du cimetière, j'aperçois la casse. Des centaines de carcasses de bagnoles s'empilent jusqu'à ce que le broyeur daigne leur donner le coup de grâce. Les employés ont déserté pour se rendre à la prière. Suspendue à un câble, une vieille Mercedes sans pneus ni pare-brise, oscille au-dessus du compresseur, dans un sursis cruel. Au fond, une 2 CV, jaune sous la rouille, semble attendre son tour. Il lui manque le capot et les ailes avant, mais son squelette décharné n'a rien perdu de son humble majesté. Sa capote en toile, crevée, a laissé les années de soleil blanchir le Skaï craquelé de ses banquettes. On lui a arraché le moteur. Celui-ci repose dans une caisse en pin dont le couvercle a disparu. Des ailes de couleurs différentes appuient leur solitude contre la palissade. Je fais quelques pas, intrigué, et dépasse la porte du hangar. *Tu peux entrer si tu veux, mais laisse tes chaussures devant. Haïder a nettoyé le sol avant d'aller à la prière et ça n'a pas encore eu le temps de sécher*, me lance une voix depuis l'intérieur. L'homme est assis sur un bidon d'essence Afriquia et mange une banane dans l'obscurité. Il a une soixantaine d'années, les cheveux frisés, roux virant au blanc, et porte un burnous gris foncé sur des baskets fluo. Je le remercie en arabe et m'approche.

— *Allah yarham oualidik*, que Dieu bénisse vos ancêtres.

— Laisse donc mes ancêtres où ils sont !

C'est vrai qu'ici on bénit les ancêtres à tout bout de champ. On ne remercie jamais directement les vivants ; on passe toujours par les morts. Et toujours les plus éloignés.

— Tu n'es pas d'ici toi avec ton accent de la frontière. Algérien ? répond l'homme en arabe.

— Non. Français.

— Français ? se moque-t-il maintenant en français, avec cette tête-là ? Alors moi, je suis norvégien ?

— Mes parents sont marocains.

— Mais pas toi ?

— Pas complètement.

L'homme ne répond rien. Il jette sa peau de banane dans un carton rempli de détritus puis s'essuie les mains sur son burnous. Il sort un canif de sa poche et entreprend de se curer les ongles, tête baissée. J'ai cessé d'exister. J'hésite à rebrousser chemin. Soudain, il s'adresse de nouveau à moi, sans relever les yeux.

— Personne n'est jamais quoi que ce soit complètement. Tu te demandes pourquoi je ne suis pas à la mosquée avec les autres ?

— Non. Je me demande pourquoi vous avez une 2 CV jaune canari.

— Je suis juif, un des derniers de Casa.

— Et c'est pour ça que vous avez une 2 CV jaune canari ?

Il éclate d'un rire franc, comme celui de mon père.

— Non, dit-il, c'est pour ça que je sais qu'on n'est jamais complètement ci ou complètement ça. Je suis juif et arabe, tu es marocain et français.

— Et la 2 CV jaune ?

— Elle est comme toi, carcasse *made in France*, mais son cœur est marocain.

— Je ne suis pas convaincu que rafistoler la carrosserie d'une bagnole, ça suffise pour lui redonner une vie.

— Comment t'appelles-tu ?

— Marwan. Marwan Mansouri. Et vous ?

Il hésite.

— Abraham.

— Abraham ? Ce n'est pas un nom de garagiste !

— Marwan non plus et pourtant tu as un avis sur ce que je vais faire de ma 2 CV…

— Je ne suis pas garagiste, mais mon père et mon grand-père l'étaient. Je n'y connais pas grand-chose, mais je sais que sans moteur, votre bagnole n'ira pas loin.

— Tu as raison. Elle s'en est pris des coups, ma pauvre Grace.

— Grace ?

— Ma 2 CV. Un jour, elle sera aussi belle que Grace Kelly.

— Faut pas traîner alors… Elle est quand même morte depuis un moment.

— Je sais ! Elle est morte l'année où celle-ci est sortie de l'usine Citroën, c'est pour ça que je l'ai baptisée Grace. Les blessures prennent du temps à cicatriser surtout quand les pièces détachées et la main-d'œuvre sont rares. Le moteur est arrivé avant-hier. Je l'ai prélevé moi-même sur une autre 2 CV qu'on a concassée ce matin.

Abraham farfouille derrière lui et sort une Casablanca Light fraîche qu'il me tend en affirmant que si je ne suis pas à la mosquée, c'est que je ne dois pas être plus pratiquant que ça. Il est onze heures et demie, c'est un peu tôt pour une bière, mais la chaleur est telle que j'accepte. J'aperçois un bidon Total et hésite à m'asseoir dessus de peur de me salir. Abraham pointe du doigt une bâche qui traîne à ses pieds. *Les taches sont sèches, il n'y a pas de graisse*, me lance-t-il. Je la jette sur le bidon et m'installe. *Qu'est-ce que tu fais à Casa ?* demande-t-il. *Mon père est mort. Il veut se faire enterrer ici. Nous sommes tous descendus. Ma mère et mes frères arrivent demain. J'ai accompagné le cercueil en avion.* Abraham ne répond rien et reste silencieux plusieurs secondes avant de me raconter son histoire. Ses fils ont émigré en Israël et veulent qu'il soit inhumé là-bas, dans la tradition juive, mais il n'a que cinquante-sept ans et surtout son pays, c'est ici !

Il n'aime pas Israël. Trop chaud. À Casa, l'océan caresse la ville de sa fraîcheur même en été. Ses ancêtres, puisque j'en parlais, sont venus d'Andalousie quand les Rois Catholiques les ont chassés. Ils ont précédé d'un an l'exil des Musulmans d'Espagne. Certaines familles ont conservé les clefs des maisons de Grenade ou Cordoue que leurs aïeux ont abandonnées il y a près de six cents ans ! Les Espagnols ont tout rasé et reconstruit par-dessus les décombres depuis longtemps, mais les clefs du passé sont toujours ici. *Ça sert à ça les ancêtres*, dit-il, *à nous garder prisonniers.*

Il n'a jamais voulu vivre en Israël, alors y mourir… Deux cent cinquante mille Juifs marocains ont évité la déportation pendant l'Occupation parce que Mohammed V s'est opposé aux lois de Vichy ! Pourquoi quitterait-il le pays qui a sauvé sa famille deux fois quand les Européens, Espagnols, Français, Allemands la traquaient ? Il y a toujours eu des Juifs au Maroc et il y en aura toujours parce que *les Musulmans et les Juifs de ce Royaume sont frères. Des frères jumeaux !*

Et la 2 CV jaune ? C'est sa voiture et sa couleur préférées. Jamais Citroën n'aurait dû arrêter la production ! Je croirais entendre mon père ! *Il était garagiste, où ton père ?* À Clichy, mais il a commencé à l'usine Citroën de Levallois, celle qui a fabriqué la 2 CV jusqu'en 1988 justement ! Abraham prend un air malicieux. *Il devait être doué pour avoir réussi en France, et un sage pour aimer les 2 CV*. Je souris. Peu de Français qualifieraient l'existence de mon père de réussite mais, vue d'ici, la vie de ceux qui ont eu la volonté de partir entretient souvent le rêve de ceux qui n'en ont pas eu le courage. S'ils savaient… La réalité est mère de déception, et pourtant, plus j'explore cette ville, plus je suis fier de la vie de mon père.

— Mon père aussi avait une 2 CV jaune canari, je ne sais pas ce qu'on va en faire maintenant.

— Comment elle s'appelle ?

— Qui ?

— La 2 CV de ton père ?

— Elle n'a pas de nom.

— Ça m'étonnerait que ton père ne lui en ait pas donné un…

— Rose. Elle s'appelle Rose.

— C'est joli, une rose jaune. Et ta mère n'en a pas besoin ?

— Elle ne conduit pas. Mon frère Foued non plus et Ali, mon autre frère, possède un gros 4 × 4 allemand. De toute façon, tout ce que mon père aimait, il trouve ça moche.

— Alors elle est pour toi. Pourquoi tu te poses la question ? On ne peut pas refuser l'héritage de ses parents. Il n'y a que mes fils pour rejeter leur héritage marocain et s'en chercher un nouveau en Israël, alors qu'ils devraient s'enorgueillir des deux. Ne renonce pas à ce que ton père te laisse. Il serait fier que ce soit toi qui en hérites.

— Vous parlez comme mon père.

— Je parle comme tous les pères qui aiment leurs fils, Marwan.

## 19

Et si Abraham avait raison ? La 2 CV, le plateau berbère qu'Ali déteste, l'humour et la douceur de mon père, son âme marocaine, c'est ça mon héritage. Pourquoi en chercher un autre ? Je laisse la casse derrière moi et traverse la rue qui mène au cimetière. Mon père était si différent des autres hommes. Il possédait une sensibilité particulière que je retrouve souvent chez Foued. Sa détermination, c'est à Ali qu'il l'a transmise. Et moi ? Quels traits de caractère ai-je hérités de lui ?

Le jour où j'ai été reçu à l'agreg, le téléphone arabe a fonctionné comme jamais dans notre HLM. Déjà quand j'avais passé le CAPES et que je vivais encore chez mes parents, tout l'immeuble était venu me féliciter, y compris des gens dont j'ignorais l'existence et qui avaient suivi mon parcours au travers de conversations d'ascenseur avec ma mère. Cette dernière avait organisé une fête en mon honneur, comme pour Ali après le CAPA. Tout le monde félicitait mes parents, ne tarissant pas d'éloges sur leur sens de la famille et les valeurs qu'ils nous avaient transmises. Il s'agissait principalement de leurs amis et je comprenais cette solidarité de la première génération d'immigrés devant la réussite de l'un de ses rejetons, mais malgré moi, j'avais l'impression qu'on me volait la vedette en félicitant mes parents plutôt que moi. Je me reprochais de penser ainsi, mais après tout, n'était-ce pas moi qui avais passé mes nuits à bûcher sans relâche ? À mettre les bouchées doubles entre ma première affectation en ZEP le jour et les révisions du programme de l'agreg le soir. À avoir des doutes. À trembler devant trente-trois paires d'yeux à peine plus jeunes que moi et dont certaines avaient cherché à me briser dès le premier jour de la rentrée. À instaurer une confiance avec ceux qui pensaient que je les avais trahis, moi l'Arabe, en passant du côté de l'autorité. À me disputer avec Capucine parce que je ne m'occupais plus assez d'elle. À subir les remarques désobligeantes d'Ali – *qu'est-ce que tu veux prouver ?* – et les perfidies de certains de mes collègues. Pourquoi félicitait-on mes parents ? Ils ne s'étaient, à vrai dire, jamais vraiment souciés de mes révisions et n'avaient pas compris pourquoi je passais un autre concours quand celui que j'avais déjà décroché, le CAPES, me donnait un métier. Je savais que c'était leur sacrifice que l'on applaudissait, leur travail acharné pour diluer la misère originelle de nos aïeux jusqu'à notre génération. *Un avocat et un agrégé, vous vous rendez compte ! À c'train-là, Foued s'ra président d'la République !* répétait ma mère à qui voulait l'entendre en riant de joie. Mon père, lui, avait été chiche de compliments. Il ne m'avait pas embrassé et sa joie avait un air grave que je ne comprenais pas, même si j'avais, moi aussi, eu droit à la cérémonie de lecture de mon diplôme devant toute la famille.

L'idée que mon père puisse être jaloux m'avait alors traversé l'esprit ; pas de cette jalousie envieuse qui puise son énergie dans la haine, mais de celle sans reproche, sans concurrence, que façonnent les regrets et les *si seulement*. Si seulement mon grand-père était venu en France avec Kabic au lieu de rester à Casa, si seulement mon père était né ici, si seulement il avait eu les mêmes chances que ses fils, peut-être qu'à lui aussi le ministère de la Justice ou de l'Éducation nationale aurait remis un diplôme. Si seulement il n'avait pas contrarié les projets de son propre père en venant au monde ? Si seulement il n'avait pas changé la trajectoire du destin par sa propre naissance ?

Une fois tous les invités partis, alors que je m'apprêtais à rentrer chez moi, mon père m'avait donné l'accolade à laquelle je ne m'attendais plus. Il m'avait serré pendant un long moment avant de me murmurer à l'oreille *ton grand-père serait tellement fier !* Puis il m'avait regardé, les yeux mouillés d'orgueil et de ce *si seulement* qu'il portait en lui depuis qu'il avait quitté le Maroc et que je comprends aujourd'hui ; si seulement mon grand-père était encore de ce monde, il aurait partagé cette réussite avec nous, lui qui en avait posé la première pierre. Voilà ce que signifiaient les larmes de mon père.

Une chaîne épaisse, sertie d'un cadenas fatigué, s'enroule autour du portail principal du cimetière. La rouille zèbre la peinture blanche qui s'écaille sur les grilles. Des sections entières ont été colmatées à renfort de panneaux de contre-plaqué, de bouts de carton, de vieux chiffons usés autour desquels se sont agglutinés des détritus nomades. Il y a même un bac de douche fendu, terni par la poussière et les toiles d'araignée.

Rat ou pigeon dans la gueule, des chiens et chats errants se faufilent entre les ouvertures et sous les grilles, et rejoignent leurs terriers au milieu des tombes et des herbes folles. Arrivé au portail annexe, je suis invectivé par le gardien. *C'est pour quoi ?* Il n'a pas le temps de renseigner un touriste ! Il est en retard pour la fin de la prière ! Les tombes sont numérotées ; je n'ai qu'à me débrouiller ! Mais je ne sais pas où chercher. *Inch'Allah*, me lance-t-il, *les morts n'ont pas bougé, ouvre les yeux. Tu trouveras !* Et il part en courant vers la mosquée pour y être aperçu lorsque les fidèles en sortiront. Des dizaines d'allées s'étendent devant moi. Je n'ai pas la moindre idée d'où reposera mon père.

Les tombes ici sont différentes d'en France. Elles me rappellent davantage celles du Portugal ; blanchies à la chaux pour éblouir les croyants. Elles sont étroites. On y dépose le corps emmailloté dans un linceul de coton, comme un nouveau-né, allongé sur le côté, le regard tourné vers La Mecque. Celle de mon père sera plus large pour accueillir directement le cercueil en zinc, sans l'ouvrir, pour des raisons sanitaires. C'est ce que m'a dit la dame de l'assurance, en s'excusant. Les tombes sont recouvertes de terre battue ou de gravier blanc. Une petite plaque à même le sol en indique le numéro, parfois un verset du Coran, parfois le nom du défunt, même si c'est en principe interdit. La mort est anonyme ici. Les corps n'existent plus. La vie s'efface, sans fleurs ni fioritures. Juste les herbes folles. Les rares stèles – trop chères – blanches elles aussi, sont numérotées comme me l'avait indiqué le gardien. On distingue facilement les tombes les plus récentes, la Nature ne les a pas encore envahies. Les bouteilles vides, les sacs en plastique, les pages de journaux déchirées viennent aussi finir leur vie ici. Le vent les accroche aux ronces comme des milliers de lambeaux de prière. Une chienne protège agressivement sa portée et grogne lorsque je passe près elle. Je soupire en songeant que mon père a quitté le taudis dans lequel il est né pour finir dans celui-ci. Pourquoi les Marocains n'entretiennent-ils pas leurs cimetières ? Je lui en veux de ne pas se faire enterrer en France. Il y a un cimetière musulman à Bobigny, un vrai, où l'on suit la tradition islamique, si ça lui importait tant que ça ! Un cimetière où il y a un gardien serviable, des poubelles pour les détritus et où les morts ont des noms. Un cimetière où les tombes sont fleuries et les vivants se recueillent. Ici, il n'y a personne, et pas seulement parce que c'est l'heure de la prière. Il n'y a jamais personne ! Il n'y aura jamais personne pour ne pas l'oublier ! *Tu l'as trouvée ?* La voix profonde de Kabic me fait sursauter.

— La tombe de ton père ? Enfin, le trou. Tu l'as trouvé ?

— Comment veux-tu que je trouve quoi que ce soit dans cette décharge ? Personne n'entretient les cimetières dans ce pays ? Personne ne s'en préoccupe ? Ils courent tous à la prière mais ils n'ont pas de temps pour les autres. Ni les vivants, ni les morts !

— De quoi crois-tu que les morts aient besoin ? me lance-t-il en allumant sa cigarette.

— J'en sais rien ! De souvenirs !

— Quand tu penses à ton père, qu'est-ce qui te vient à l'esprit ?

— J'sais pas ! Je le revois au garage, à la maison, avec ma mère.

— Et avec toi ?

— Avec moi ?

— Il y a deux sortes de souvenirs, Marwan, ceux que l'on a *de* quelqu'un et ceux que l'on a *avec* quelqu'un. Les plus importants sont les deuxièmes.

Kabic a raison. Quand je songe à mon père, je nous vois rire ensemble, discuter, nous disputer, nous réconcilier. Je me vois aussi me demander pourquoi c'était mon père alors qu'il n'avait rien à voir avec moi. Lui, le Marocain.

Kabic tire sur sa cigarette en regardant le cimetière. *On y va ?* Il se remet en route sans empressement. Je lui emboîte le pas tout en vérifiant la numérotation des plaques. *Quel numéro t'a donné l'assurance ? – 17 695 – Ça n'a pas d'importance de toute façon, on avance.* Les tombes se succèdent, de plus en plus délabrées et invisibles sous la végétation. Plus on s'enfonce, plus le bruit de la ville s'estompe, plus la respiration de Kabic se fait haletante. Nous progressons dans cette jungle pendant cinq bonnes minutes jusqu'à une clairière où les tombes semblent mieux entretenues. *Le carré des riches*, ironise Kabic en s'asseyant sur une grosse pierre. Il déballe un paquet de cigarettes neuf, glisse le film de cellophane dans sa poche, puis en sort une cigarette qu'il retourne et replace dans le paquet, tête en bas, avant d'en tirer une autre qu'il allume en fermant les yeux. Je ne lui ai jamais demandé la signification de ce rituel. *C'est la dernière cigarette*, me dit-il quand je lui pose la question, *la dernière que je fumerai. De ce paquet en tout cas…*

— Quand je mourrai, quels souvenirs garderas-tu, Marwan ?

— Pourquoi cette question ? Je n'ai pas envie de te perdre aussi !

— Réponds si tu veux bien.

— Quand tu partiras, c'est mon enfance que je perdrai une deuxième fois.

— On n'oublie jamais son enfance Marwan. La mienne est gravée partout dans cette ville et profondément dans mon cœur.

— Et l'enfance de mon père ?

— Aussi. Dans cette ville, dans le cœur de Mi Lalla et dans le tien, mais tu ne t'en es pas encore rendu compte.

Je sors la photo de mon père enfant du fond de ma poche et la montre à Kabic. *Il y a un texte en arabe au dos. Tu peux me le traduire ?* Kabic sort ses lunettes. Il regarde la photo en souriant, puis la retourne sans dire un mot, les yeux rivés sur le texte. *Juillet 1967, j'avais oublié*, murmure-t-il en arabe. Puis il dit en français *c'est moi qui avais payé un photographe, je me souviens ! Pour l'anniversaire de ton père, le 11 juillet. Un cadeau pour tes grands-parents, les photos coûtaient une fortune à l'époque ! C'était la première fois que je rentrais au Maroc, après cinq années en France. J'avais économisé pendant trois ans pour m'offrir le bateau.* Kabic soupire sans détacher ses yeux du texte.

— Qu'est-ce qu'il y a d'écrit ?

— En vert, c'est écrit *vous me manquez*.

— Ah ? Et au crayon à papier ?
— *Il est beau notre fils !*
— C'est l'écriture de Mi Lalla ?
— C'est celle de ton grand-père.
— Et celle en vert ?
— C'est celle de ton grand-père.
— Ah bon ? Mais ce n'est pas la même.
Kabic lève des yeux humides dans ma direction. *Ce n'est pas à moi de t'en parler.*

## 20

Kabic a refusé de me révéler quoi que ce soit. *Ça appartient à ta grand-mère, c'est à elle de te raconter.* J'ai répondu que je préférais ne rien savoir si cela risquait de la chambouler, mais il m'a rassuré ; *au contraire, ça lui fera du bien.* Alors nous sommes retournés rue 14 et le secret de Mi Lalla est devenu moins lourd.

J'ai d'abord cru avoir mal entendu, mal compris à cause de mon mauvais arabe. Je m'apprêtais à lui demander de répéter, quand elle a glissé sa main dans la mienne et a serré fort en cherchant son souffle. J'ai caressé sa peau avec mon pouce, pour la réconforter, lui dire sans mot *ne t'en fais pas.* Elle a souri sous la détresse puis sa respiration est revenue. Kabic, qui était resté pour aider à traduire, a eu l'air soulagé, lui aussi.

Comme souvent avec les secrets, ça a commencé par un incident effroyable, bien que banal pour l'époque. Et comme souvent avec les secrets, on l'a enveloppé dans plusieurs couches de honte, et des vies entières, jusqu'à la mienne, en ont été tapissées.

Mi Lalla vient d'une famille de bergers berbères du Moyen Atlas. Des nomades qui plantaient leur tente à l'endroit où les menait le troupeau. On marchait souvent des journées entières à travers l'hiver, sur les chemins étroits et verglacés, par-delà les cols, bravant les précipices en posant ses pas dans les traces des sabots assurés des chèvres. Les bêtes ne perdaient jamais de temps dans leur quête de pâturages. Elles savaient que si elles cessaient de donner du lait, on les abattrait. La survie du troupeau tenait au sacrifice régulier des plus faibles. Lorsqu'après un hiver rude ou un été sec, la nature rétrécissait les prairies, leur lait tarissait et leur viande rare ne suffisait plus à nourrir la famille. Même leur sang, que les bergers buvaient dans ces périodes maigres en procédant à une incision sur leur cou, tout en les gardant vivantes, devenait toxique. Il fallait trouver de quoi brouter ! Guidées par leur fidèle *aïdi*, le chien berger de l'Atlas, elles escaladaient la montagne, esquivaient les rocs glissants et les plaques de glace jusqu'aux immenses étendues rendues fertiles par le dégel de mars. Le chien veillait sur la tente et le troupeau avec énergie et bravoure, chassant un caracal qui rôdait trop près des chèvres ou un singe solitaire prêt à voler les outils que le père avait abandonnés pour la nuit. C'est l'*aïdi* qui trouvait les passages les plus étroits pour traverser les oueds que la fonte des neiges avait grossis. Le printemps venu, il gambadait dans les champs de coquelicots tout en gardant un œil sur le troupeau et la marmaille. Il se laissait tirer les oreilles par les petites mains sans jamais montrer les crocs. Le soir, il jouait avec les enfants, s'assurant qu'aucun ne s'égarait dans la campagne noire, pendant que la mère cuisait le pain sous la cendre. Mi Lalla, qui était l'aînée, n'avait jamais connu la mère autrement qu'avec le ventre rond et s'était occupé de ses huit frères et sœurs dès qu'elle avait su marcher. La mère était douce. Son visage a quitté la mémoire de Mi Lalla, mais sa voix chantonne encore souvent au milieu des souvenirs. *On peut vivre une enfance plusieurs fois*, murmure Mi Lalla, *surtout quand les moments heureux ont été rares car on se les ressasse régulièrement.* Et la petite Warda, qu'elle était à l'époque, s'est souvent remémoré les précieux souvenirs de l'enfance, comme on se repasse en boucle les plus beaux passages d'un film.

Quand la mère de Warda s'est retrouvée enceinte de son dixième enfant, après un été torride qui avait détruit un quart du troupeau, il n'y a plus eu assez à manger pour toute la famille. C'était la fin des années cinquante. Le Maroc venait à peine de retrouver son indépendance. Les villes de la côte s'étaient enrichies sous le Protectorat tandis que les villages de l'Atlas et du désert avaient continué de s'enfoncer dans le Moyen Âge. Kabic acquiesce de la tête, sa mère aussi venait d'un de ces bleds reculés.

Chaque année après l'été, une voiture montait de Khenifra, la ville la plus proche, et faisait le tour des villages et des tentes berbères. Avant l'indépendance, on faisait croire qu'il s'agissait des Français et qu'ils procédaient simplement au recensement, mais le Protectorat se foutait bien de savoir combien de bergers peuplaient l'Atlas. *Les chèvres, peut-être, mais les Français faisaient à peine la différence entre les*

*Berbères et les Arabes, alors de là à nous compter ! Ils nous appelaient tous Mohammed en se marrant*, ajoute Kabic au récit de Mi Lalla. Mais les Français sont partis en 1956, et quand la voiture s'est arrêtée devant la tente de la famille de Warda, c'est un Marocain qui en est descendu. Son visage à lui, Mi Lalla ne l'a jamais oublié, cruel et cupide comme l'était sa tâche. Sa voix non plus. Il a demandé en langue berbère à voir le père, qui était parti pêcher dans les eaux poissonneuses en amont de l'oued, pour pallier le manque de viande et de lait. L'homme a alors discuté avec la mère qui l'a regardé, hébétée. Elle a poussé un hurlement pareil à une bête blessée, puis l'a chassé en rassemblant derrière elle ses petits, sous les aboiements protecteurs de l'*aïdi* que Warda avait attaché à un piquet. L'homme a forcé un billet de banque dans la main de la mère, puis il est parti en promettant de revenir le lendemain. Il parlerait au père qui saurait entendre raison. Le lendemain il est revenu, il a parlé au père et il a emporté Warda dans sa voiture.

Lorsque nous refusions de finir notre assiette, mon père ne nous parlait jamais des petits enfants qui meurent de faim au Sahel, il nous racontait l'histoire de sa mère, qui avait été chassée de la tente à cause du manque de nourriture, en répétant *vous ne vous rendez pas compte de votre chance d'avoir de quoi manger !* Nous trouvions cela tellement cruel et barbare qu'on s'empressait de finir, même quand ma mère en avait fait assez pour un régiment, c'est-à-dire tous les soirs… Nous imaginions notre petite grand-mère sur la route de Casablanca, le ventre creux et le cœur triste, en nous disant que la vie avait été cruelle avec elle dès le début. Mais ce n'est pas vraiment comme ça que ça s'est passé. Non. À treize ans, Mi Lalla n'a pas été chassée par son propre père parce qu'il n'y avait plus assez à manger. Elle a été vendue.

La voix de Mi Lalla ne tremble pas. Les années n'ont pas anesthésié la douleur, mais le temps y a déposé le voile de la sagesse. *La souffrance peut nous endurcir et nous éloigner des autres Marwan*, murmure-t-elle, *ou au contraire elle peut nous adoucir et nous rapprocher d'eux. On a toujours le choix.* Malgré tout, son regard laisse entrevoir la déchirure qui l'a propulsée hors de l'enfance. J'ai imaginé la petite fille trahie par son père, arrachée à sa mère, ses frères, ses sœurs. J'ai imaginé la panique à l'arrière de la voiture, entre deux autres fillettes en pleurs qu'on avait ramassées dans un autre village. J'ai imaginé les coups pour faire taire la terreur ; les reniflements ; la résignation ; le silence.

À l'époque, les riches familles de Casa et de Rabat achetaient des petites filles de la campagne et en faisaient leurs soubrettes. Une espèce d'esclavage où tout le monde, sauf les fillettes, trouvait son compte. C'était une pratique courante qu'on n'a jamais remise en cause du temps des Français. *Ça continue encore aujourd'hui*, intervient Kabic, *mais on s'arrange en disant que les petites sont embauchées, pas vendues. Les riches paient un salaire de misère à la famille restée au pays, mais les gosses ne revoient jamais leurs parents. Observe bien dans les quartiers rupins de Casa, à Anfa, à Ain Dieb, tu verras des gamines de quatorze ans, habillées comme des princesses, sac à main Chanel au bras, qui font du lèche-vitrines en fin de semaine. Même les fillettes de Neuilly ou du 16^e arrondissement de Paris sont moins privilégiées. Leurs servantes ont le même âge et portent leurs emplettes, en retrait. Il n'y a pas eu de Révolution ici, et encore moins pendant le Protectorat ! Les Français n'ont rien trouvé à redire quand ils sont arrivés, ils ont laissé leurs principes républicains et leurs Droits de l'Homme de leur côté de la Méditerranée et se sont prélassés ici comme des bourgeois de l'Ancien Régime. Je me souviens, le jour où tu as étudié ça à l'école, Marwan et que tu me le racontais en rentrant. Je me disais, les privilèges, ça existe partout mais en France, on fait au moins croire qu'on les a abolis.*

Quand la voiture s'est arrêtée sur la place du village, les trois petites filles sont descendues. L'une d'entre elles était encore tout évanouie de chaleur, confinées qu'elles avaient été, fenêtres fermées, à l'arrière. La comparse du sale type a vérifié que les fillettes n'avaient pas de poux et inspecté chacune de leurs dents. Puis, quand la gamine s'est écroulée, elle a indiqué une fontaine sur la place d'un coup de tête aux deux autres qui s'y sont ruées, ont bu tout ce qu'elles pouvaient puis sont revenues. Warda s'est penchée pour rafraîchir de ses mains mouillées la petite qui était toujours effondrée par terre. La marâtre a poussé la gosse du pied, et Warda l'a aidée à se relever pour l'emmener boire à la fontaine. Peu de temps après, un autre véhicule s'est approché de la place. La méchante femme a aligné les trois mômes le long d'un mur en leur hurlant de rester droites en berbère. Tout ce dont Mi Lalla se souvient, c'est que l'homme qui est descendu de cette deuxième voiture portait un costume. Il a parlé en arabe, une langue que Warda connaissait un peu, mais pas assez pour comprendre ce qu'il disait. Il lui a souri, a inspecté ses dents et ses cheveux, lui a palpé les côtes, les bras, les jambes puis l'a jetée dans sa voiture. Il a donné de l'argent au sale type et a fait non de la tête quand il lui a montré les deux autres. Le chauffeur a démarré. Et Warda s'est endormie. Une main l'a secouée au bout de quelques heures. Elle s'est frotté les yeux puis a regardé par la fenêtre qu'on avait entrouverte pendant son sommeil. L'odeur âpre de la fin du jour l'a fait tousser. Une ville immense déployait son chaos dans le soleil couchant. Warda découvrait le bruit des hommes dont les vastes paysages de son enfance l'avaient protégée et dont sa vie serait désormais remplie. La voiture s'est faufilée entre les rues étroites et les avenues majestueuses. Les hauts immeubles cachaient une lune timide dans un désert d'étoiles. Des arbres, qu'elle ne connaissait pas, bordaient les boulevards en étirant leurs ombres fantastiques sous la lumière blafarde des lampadaires. L'horizon et les saisons avaient disparu. Des nuées de bicyclettes encombraient le soir dans les lueurs sourdes des automobiles. De belles dames à la peau très blanche flottaient au bras de messieurs au teint livide, élégants dans l'air humide. *Les derniers Français, ceux qui possédaient encore des bouts de Maroc en 1958 ou 1959*, interrompt Kabic. Mi Lalla acquiesce en hochant la tête avant de reprendre son récit. Il n'y avait pas de chèvres ; des ânes, des chameaux, des chevaux, des poulets, mais ni chèvres, ni son fidèle *aïdi* pour la protéger dans ce paysage dénué de nature. Sa peur ne s'était pas estompée, mais elle l'avait presque acceptée. Elle ne comprenait toujours pas ce qu'elle faisait à l'arrière de cette voiture, avec cet homme qui ne lui adressait pas la parole.

La maison était monumentale. Jamais Warda n'aurait imaginé qu'une famille puisse vivre dans un tel palais. Ou peut-être le Roi ! Une femme l'attendait et l'a fait entrer par la porte de service. Elle parlait le berbère et lui a rappelé un peu sa mère, mais très vite Warda s'est rendu compte que cette mère-là ne l'aimerait jamais. Pendant six mois, elle s'est levée avant le soleil et couchée quand la maisonnée était endormie. Ses petites mains se ridaient au contact permanent de l'eau de vaisselle, elles devenaient calleuses sous les charges que la paresse de la cuisinière lui laissait porter et rêches à force de ne plus rien caresser de doux. Un matin, après avoir rentré le charbon et fermé le portail qui donnait sur une ruelle à l'arrière de la maison, la voiture du maître s'est arrêtée à sa hauteur. Une belle Marocaine, habillée comme une Française, est apparue à la fenêtre et l'a observée en silence.

Quelques jours plus tard, on lui a expliqué que le fils de la famille, Hassan, un garçon de quatorze ans, viendrait lui rendre visite dans sa minuscule chambre. On lui a ordonné de la nettoyer, la ranger et s'assurer que son lit soit propre. Même s'il n'avait que dix-huit mois de plus qu'elle, Warda devrait laisser Hassan faire tout ce qu'il voudrait, sans protester, sans se débattre, sans crier. Comme Warda ne comprenait pas ce qu'on attendait d'elle, la cuisinière a aboyé qu'il n'y avait rien à comprendre ! Les femmes ne sont pas là pour comprendre ! Elle devrait être flattée que la mère de Hassan l'ait choisie !

Kabic quitte son siège pour entrouvrir la fenêtre. Les yeux plongés dans la ville, il maudit le destin et Casablanca. Mi Lalla suspend son récit. Sa voix n'est pas émue, comme si la vie de Warda appartenait à une autre. Les visites de Hassan sont vite devenues quotidiennes. Chaque soir pendant de nombreux mois, au moment de la *Salat al-Ichae*, la prière du soir, le père du garçon se rendait seul à la mosquée, laissant son fils peaufiner sa virilité naissante sur Warda. Il n'y avait guère que le vendredi, le jour saint et surtout celui de la prière collective, que la porte de sa cellule ne résonnait pas de sa plainte de gonds rouillés, car Hassan devait paraître, auprès de son père, devant la communauté. Chaque matin, elle endurait les mesquineries et les sarcasmes de la cuisinière sans mot dire. Warda a appris plus tard que cette dernière avait subi les assauts maladroits du père de Hassan autrefois et s'est juré que l'existence de cette femme ne serait jamais la sienne.

Un matin à l'aurore, après que le charbon avait été livré, Warda n'a pas refermé le portail. Elle ne l'a pas refermé et elle s'est enfuie. Elle a longé les murs, en prenant soin de ne pas courir pour n'alerter personne. Le visage dissimulé sous le capuchon de son burnous, elle a déambulé à travers cette ville dont elle ne connaissait qu'une seule rue ; une rue qu'elle n'a jamais oubliée. Jamais elle ne s'était aventurée hors de l'enceinte de la maison, ni même avait passé la tête entre les barreaux de la fenêtre de sa cellule. Elle n'avait jamais entendu le bruit d'un klaxon d'automobile ni celui d'une sonnette de bicyclette et, dans son empressement, elle a manqué plusieurs fois de se faire renverser. Arrivée dans les quartiers du centre, elle a réalisé que personne ne la rattraperait plus au milieu des autres ombres en capuches et a laissé la foule l'engloutir. Elle a marché encore près de deux heures, jusqu'à ce que les immeubles se fassent de plus en plus bas et les avenues de plus en plus rares. L'horizon brûlant dévorait la ville et, à mesure qu'elle avançait, des tentes disparates émergeaient de la poussière. Les aboiements d'un chien lui ont rappelé son fidèle *aïdi*. Il n'était pas encore midi. Elle n'en pouvait plus et avait la gorge sèche.

Elle a entendu les cris joyeux d'une foule au loin et s'est dirigée vers le tumulte. Là où il y a des hommes, il y a de l'eau, disait son père. Elle a traversé le campement, laissant les rires guider ses pas jusqu'à une petite place où était rassemblée une cinquantaine de personnes, assises à même le sable. Un jeune homme, juché sur une pile de pneus, gesticulait et grimaçait, captivant son public qui se gondolait. Malgré son mauvais arabe et pour la première fois depuis qu'elle avait été arrachée à son enfance, Warda s'est esclaffée, libérant l'angoisse qui ne l'avait pas quittée depuis le Moyen Atlas. Les yeux du conteur ont rattrapé son rire et le lui ont rendu en la faisant rougir. Un deuxième jeune homme, du même âge, s'est approché. Avec le courage de la timidité, il lui a tendu une demi-orange en demandant son nom et si elle vivait à Sidi Moumen. Warda cherchait ses mots, alors il a de nouveau posé la question, en berbère cette fois. Kabic baisse les yeux à l'évocation de ce souvenir. *Le conteur, c'était ton grand-père, Marwan ; et le timide, c'était moi.*

Meryem, la mère de Kabic, venait de la même région de l'Atlas que Warda, et était à peine plus vieille qu'elle lorsque la vie l'avait conduite jusqu'à Casablanca. Elle l'a recueillie et est devenue une seconde mère pour elle, et Kabic, un frère. Mi Lalla interrompt son récit, soupire et lève les yeux vers Kabic pour se donner du courage. Mon père ne nous a jamais raconté tout ça. Il ne parlait pas souvent du Maroc, sauf pour nous reprocher de ne pas y passer davantage de temps, mais il nous a toujours répété une chose : un homme qui se respecte est un homme qui respecte les femmes. Longtemps je me suis demandé pourquoi cela lui tenait tant à cœur. À présent, je comprends.

Dans une société où l'arrivée d'un fils est toujours fêtée et celle d'une fille est maudite, la virginité exerce une dictature à laquelle les femmes n'ont d'autre choix que de se soumettre. La tradition a la vie dure, et si le Coran recommande à tous l'abstinence jusqu'au mariage, celle-ci n'est imposée qu'aux femmes. Dans une paradoxale ironie, rester pure permet aux jeunes filles de manipuler le joug des hommes et de s'élever socialement même si, la plupart du temps, leurs pères ou leurs frères se chargeront de négocier leur virginité au plus offrant. C'est la seule richesse qui ne se préoccupe ni de la naissance, ni de la fortune de celle qui la possède. Même si les filles ont moins de scrupules à la perdre de nos jours, elles savent que leurs chances de trouver un mari en dépendent. Aujourd'hui, bien sûr, une simple opération chirurgicale permet de redevenir vierge et celles qui peuvent se l'offrir n'hésitent pas à se faire recoudre l'hymen à grands frais. Pour les autres, la majorité miséreuse, on trouve sur les marchés de petites poches de sang de poulet que la mondialisation importe de Chine. Une seule, judicieusement placée, suffira à donner le change. Elle crèvera sous l'acharnement plus ou moins expert du jeune marié, libérant la précieuse goutte de sang, honneur des deux familles, que les draps nuptiaux auront vite fait d'absorber. Pas de pitié cependant si la supercherie est découverte ! À peine épousée, la jeune mariée finira battue, répudiée et endossera la *hchouma*[1] pour le reste de son existence.

En manigançant le déniaisement de son fils, la mère de Hassan savait qu'elle détruisait la vie de l'enfant de treize ans qu'elle avait achetée pour une poignée de dirhams. En plus du viol récurrent dont elle était victime, Warda était devenue, malgré elle, une paria que ni sa famille ni aucune autre ne recueillerait jamais. J'ai la soudaine envie d'écumer les rues d'Anfa, de sonner aux portes de tous les Hassan et de leurs mères qui se croient au-dessus des lois, de les maudire, de damner leur au-delà et cracher sur leurs vies comme ils ont craché sur les nôtres ! Car la blessure de Mi Lalla, sa *hchouma*, est un héritage indélébile, une douleur qu'elle nous a transmise malgré elle et qui perdure inconsciemment en chacun de ses petits-enfants. Comme ces femmes violées en temps de guerre, que

1. Mot intraduisible en français, la *hchouma* est le mélange de pudeur et de honte. Les jeunes filles qui ont perdu leur virginité avant le mariage endossent la *hchouma*. Si ce qui est *haram* est condamné religieusement, ce qui est *hchouma* est condamné par l'hypocrisie des hommes.

les barbares abandonnent au milieu des cendres de leur village, et qui portent en elles la génération de haine et de honte qu'ils y ont plantée.

Contrairement aux Français, les démunis du Maroc n'ont pas l'âme révolutionnaire. Ils acceptent inégalités et maltraitances sans se rebeller, moins par peur des représailles que par fatalisme. Et, comme partout, malheureusement, les femmes encore davantage ! Je prends ma grand-mère dans mes bras et serre sa fragilité contre mon cœur. Je veux, par mes caresses, lui montrer que je suis français, révolté et que, n'ayant pas grandi dans cette obsession de la virginité, je n'éprouve pour elle que de la compassion. Les seuls que juge mon âme, ce sont ses bourreaux. Et mon père, comment a-t-il réagi quand elle le lui a raconté ?

# 21

Mon grand-père avait acheté un petit garage à deux pas d'Anfa. Il payait les traites de la banque grâce aux mensualités qu'envoyait Kabic tous les mois en remboursement du pécule qu'il lui avait donné pour aller en France. Une fois la dernière échéance versée, Kabic avait continué à virer une humble somme pour l'éducation du petit Tarek, mon père, et insisté avec tact pour que celui-ci prenne des cours de français. *Ton grand-père avait refusé au début, mais il savait bien que l'avenir de Tarek devrait un jour traverser la Méditerranée*, me confie Kabic. Deux fois par semaine Tarek se rendait à la lisière d'Anfa où un vieux professeur du Collège de France, que Mai 68 avait exilé à Casablanca, avait monté un institut où il enseignait la langue française aux enfants comme aux adultes. Il avait la sévérité et la générosité des vieux pédagogues, et prêchait que l'éducation n'était pas une question de moyens mais de volonté. Bien entendu la plupart de ses élèves étaient des gosses de riches dont les parents se flattaient qu'ils apprennent le français de la bouche d'un professeur émérite, mais les plus fortunés étaient aussi les plus cossards. Il avait alors trouvé le moyen de les motiver, et de générer une saine émulation, en mélangeant dans leurs rangs des gamins que les bonnes fées avaient négligés. À ceux-là, il faisait payer quelques dirhams symboliques car il estimait que le respect de la connaissance, de l'autre et de soi-même avait un prix. Le tarif était accessible à n'importe quel gosse de Hay Hassani comme mon père. Et ma mère.

C'est ainsi que mes parents se sont rencontrés, au cours de français de Monsieur de Bournazel. Et ils ne se sont plus quittés. Tarek avait neuf ans et Khadija, huit. Ça, je le sais parce que ma mère nous l'a souvent raconté enfant, en nous mettant en garde contre les petites filles. *L'y a pas d'innocence chez les enfants*, disait-elle en riant. Je me suis longtemps demandé s'ils étaient conscients de cet amour naissant. J'envie que le destin les ait mis si tôt sur le chemin l'un de l'autre et que leurs existences se soient donné un sens mutuel dès le premier bourgeon. Quand j'y songe, cela me console beaucoup que ma mère ait connu mon père toute sa vie ou presque et qu'elle ait passé quarante-six ans à ses côtés, comme si cela lui avait ajouté des années. Je n'ai connu mon père que pendant les vingt-neuf ans de ma vie, et encore je n'ai aucun souvenir jusqu'à mes quatre ans. C'est pour cela que le petit mausolée photographique que Mi Lalla a érigé dans l'entrée me touche autant. On ne connaît jamais tout à fait son père, *a fortiori* quand il a eu une enfance dénuée de photos, de livres, de nounours dont on aurait pu hériter.

La première fois que Capucine et moi avons passé une nuit ensemble, nous nous sommes déshabillés l'un l'autre avec la précipitation du désir et la fébrilité de la découverte. Une fois nus dans sa chambre, je l'ai embrassée en accompagnant doucement sa chute vers le lit. Au moment où elle s'est allongée, ses fesses nues ont sursauté en touchant la fourrure de son compagnon de nuit et elle s'est brusquement écriée *attention à Monsieur Ourson !* interrompant ainsi notre progression vers l'horizontalité pour déplacer, avec un respect en principe réservé aux chefs d'États, un nounours à qui il ne restait qu'une oreille. *C'est celui de ma mère, tu comprends, il a près de cinquante ans !* Que foutait l'ours en peluche cinquantenaire de sa mère sur son lit ? Je n'ai pas osé le lui demander, mais le ridicule de la situation et l'importance qu'elle accordait à une peluche auraient dû m'alarmer sur notre totale incompatibilité.

C'est pour cela que, quels que soient les secrets, j'ai besoin de les connaître, de les recevoir en héritage, de les accepter et de les aimer. Car il n'y a jamais eu de nounours cinquantenaire chez nous.

Quand ma mère a perdu ses parents, son oncle l'a recueillie, comme le veulent le Coran et la tradition, mais il était hors de question d'offrir des cours de français à une enfant qui n'était pas la sienne, surtout une fille ! Ma mère avait eu beau expliquer que le professeur accepterait sûrement de ne pas la faire payer, son oncle estimait qu'aucun homme ne voudrait épouser une femme qui parlerait mieux le français que lui.

Plus vite elle serait mariée, plus vite il s'en débarrasserait, alors plus de leçons ! Il avait fallu se résigner.

Chaque semaine cependant, comme Kabic l'avait fait avec mon grand-père, le jeune Tarek passait deux heures en compagnie de la petite Khadija et de cette grammaire française qu'elle trouvait si compliquée. C'est pour cette raison qu'à leur arrivée à Clichy, le français de ma mère ne dépassait guère le niveau des rayons du Franprix de la rue de Neuilly, mais elle a toujours su communiquer au-delà des mots, et son handicap linguistique ne l'a jamais empêchée d'avancer. Elle nous grondait en marocain mais le reste du temps, elle exigeait que nous parlions français à la maison. Il fallait progresser et s'intégrer, nous comme elle. Notre marocain en a pâti, mais à défaut de la langue, elle nous a transmis les gestes, les rires, les couleurs et les saveurs de son pays. Un jour, je me souviens, Foued a voulu savoir comment Tarek avait demandé la main de Khadija. Ali et moi nous étions approchés pour écouter la réponse. *L'a jamais demandé, l'avait pas besoin*, a dit ma mère, *la tenait dans la sienne depuis qu'on avait dix ans !*

Tarek était aussi dur avec ses sœurs qu'il était doux avec Khadija, nuance Mi Lalla. Il avait commencé à travailler avec son père dès l'âge de quinze ans. *Il avait cessé de prendre des leçons de français ?* Non, mais il avait décidé qu'il voulait aider au garage et devenir mécanicien. Il voulait être comme son père ! Ni plus, ni moins ! Mon grand-père venait de recruter un mécano, Ibrahim, mais devant la détermination de son fils, il avait fini par céder. Le garage tournait bien et Tarek ne serait pas de trop pour donner un coup de main et apprendre le métier sur le tas, comme il l'avait lui-même fait vingt ans auparavant.

Mon grand-père travaillait toutes les heures du jour. Il priait dans une petite pièce derrière le garage, quand les courbatures ne l'en empêchaient pas. Tarek, lui, insistait pour retrouver ses copains du quartier à la mosquée. Il faisait souvent la morale à ses sœurs dès qu'un garçon leur tournait autour et n'hésitait pas à les humilier publiquement pour s'assurer qu'elles ne ternissent pas l'honneur de la famille. Mon grand-père l'avait entendu faire un reproche à Fatima, la plus âgée de ses sœurs, et, un soir que l'autre mécano était rentré chez lui, il avait demandé à Tarek de rester plutôt que d'aller retrouver ses amis. Tarek avait rechigné, tout en se doutant que son père avait quelque chose d'important à lui dire.

C'est comme ça qu'il a appris toute l'histoire de Mi Lalla ; son enfance dans le Moyen Atlas, l'arrachement à sa famille après que son père l'avait vendue, l'arrivée à Casablanca, les viols à répétition qu'elle avait subis à treize ans et qui était sans doute la vraie raison pour laquelle les parents de Hassan l'avaient achetée au souteneur de Khenifra et toute l'horreur dont la vie des filles pauvres de la campagne était coutumière. Tarek s'est alors réfugié dans un mutisme absolu pendant plusieurs jours. *Il a eu honte*, murmure Mi Lalla, *honte de moi*. Son père a eu beau lui expliquer que l'honneur ne se plaçait pas où il l'imaginait et que c'était la famille de Hassan qui avait perdu le sien, pas Mi Lalla ni lui, rien n'y faisait ! Il n'adressait plus la parole ni à son père, ni à sa mère, ni à ses sœurs, ni à Ibrahim. Il ne se rendait plus à la mosquée avec ses copains non plus. Quand le muezzin appelait, il s'enfermait dans sa chambre. *Pas pour prier, mais pour interroger Allah*, me confie Mi Lalla. Il espérait qu'Allah lui donne une réponse à sa propre existence, à son propre destin qui commençait à peine. Si sa mère n'avait pas été vendue, violée et n'avait pas sauvé sa propre vie de la bassesse des hommes, elle n'aurait jamais connu son père et Tarek n'aurait jamais vu le jour. Ou alors sous les aboiements d'un *aïdi* dans une vallée du Moyen Atlas. Il était le fruit d'un enchaînement d'horreurs et il ne parvenait pas à l'accepter.

À la fin de l'année dernière, j'ai eu une discussion avec mon collègue Crastaing, un prof de philo du lycée. On se voit souvent car notre établissement est l'un des seuls des Hauts-de-Seine à rassembler collège et lycée. *L'horreur est toujours mère d'espoir* m'avait-il dit un jour que nous comparions nos histoires de fils d'immigrés. Son grand-père avait francisé leur nom de famille, de Kreuzenstein en Crastaing, dans le wagon qui le ramenait d'Auschwitz. Il avait connu sa femme sur le quai de la gare de l'Est où avaient débarqué leurs ombres. *Ils pesaient moins de soixante-dix kilos à eux deux et n'avaient plus de visages*, m'avait raconté Crastaing, *mais leurs regards avaient survécu et ils se sont croisés. Ça a été le coup de foudre ! Ils savaient tous les deux que l'horreur dont ils sortaient à peine serait le ciment de leur résurrection. Qui d'autre pourrait comprendre ce qu'ils avaient traversé sans cet apitoiement dont ils ne voulaient surtout pas ? Et l'apitoiement a souvent vite fait de se transformer en justification pour minimiser la souffrance à coup de bien-sûr-c'est-effroyable-mais-ils-n'étaient-pas-les-seuls. Oh, pas pour atténuer l'insupportable, non, mais pour excuser les hommes et avec eux, notre propre humanité, pour occulter l'effroyable doute que, dans d'identiques circonstances, nous aurions nous aussi peut-être choisi le camp des tortionnaires.*

Crastaing avait raison. C'est exactement ce que j'ai pensé ; *au moins Warda n'était pas la seule*. Comme une consolation dans la fatalité, une fatalité dans le destin. Je ne cherchais pas à minorer ce qui lui est arrivé, mais à apaiser ma honte en tant qu'homme, à faire passer le goût d'ignominie qu'avait laissé en moi ma condition masculine. Ma compassion, Mi Lalla n'en veut pas. Elle n'a besoin que de mon amour. Celui-là même que mon grand-père lui a offert en l'épousant malgré ce qui s'était passé. Celui aussi que Kabic a tissé au fil des années par son amitié. Et celui que mon père a dû chercher au plus profond de lui-même pour pardonner à la gent masculine, lui compris, les abjectes vicissitudes dont sa mère avait été victime.

*Le pardon*, avait appuyé Crastaing à l'époque, *ça a pris du temps mais c'est ce qui leur a permis de continuer à vivre. Celui qui n'a jamais pardonné en revanche, c'est leur fils, mon père*, a-t-il ajouté, *qui ne devait pas sa vie au hasard d'une rencontre sur un quai de gare mais au premier crime contre l'Humanité. Il devait son existence même aux Nazis qui avaient presque assassiné ses parents. Sans Hitler, il n'aurait pas vu le jour.*

— Kabic ? Peux-tu demander à Mi Lalla si elle leur a pardonné ?

— À qui ?

— À son père. À Hassan. À la mère de Hassan.

— *Llâ !* Non ! intervient Mi Lalla, je ne pardonnerai jamais, mais j'ai accepté que le destin de Warda se dissocie du mien. Sinon je serais devenue folle. Et de te le raconter maintenant, ça apaise la douleur.

— Qu'a fait mon père quand il est sorti de son mutisme, Mi Lalla ?

Il a emprunté la voiture d'un client du garage et a disparu pendant trois jours, sans prévenir personne. Mon grand-père était furieux car la voiture appartenait à un homme très riche, et que le moindre retard avec ce genre de client signifiait qu'il ne serait pas payé. On lui avait déjà fait le coup une fois où une pièce détachée avait mis du temps à arriver d'Allemagne. Le propriétaire de la berline avait dû attendre deux jours de plus que prévu. Lorsque Ibrahim, le mécano, lui avait présenté la facture, il l'avait déchirée sous ses yeux. Mon grand-père était intervenu en expliquant la situation ; ils avaient besoin d'être payés. Le client avait répondu que lui aussi avait eu besoin de sa voiture la veille, mais elle n'était pas prête et que maintenant, leur relation était passée du besoin à l'envie. Mon grand-père avait besoin d'être payé et son client le paierait quand il en aurait envie. Mais l'envie n'était jamais venue. Les riches Casablancais sont comme ça, criblés de dettes que personne n'ose leur rappeler car ils peuvent facilement vous créer des ennuis. Au retour de son escapade, Tarek était allé voir Mi Lalla et lui avait dit qu'il la protégerait toujours et qu'il protégerait aussi ses sœurs, sa future femme et que si Allah lui donnait un jour une fille, il ne serait pas amer comme les autres hommes de ne pas avoir un fils, mais que ce serait la plus grande joie de sa vie. S'il n'avait pas pu empêcher que sa mère soit vendue par son propre père comme une esclave, il ferait des reines de toutes les femmes de sa famille. Mi Lalla l'avait embrassé. C'était un bon fils. Puis elle l'avait giflé pour avoir mis le garage de son père en porte-à-faux vis-à-vis de son client avant de se remettre à préparer le couscous. Mon père n'a pas eu de fille et jamais assez d'argent pour couvrir ma mère de richesses, mais je sais qu'il l'a toujours traitée comme une reine.

Il avait passé trois jours dans le Moyen Atlas à la recherche des paysages où Mi Lalla avait grandi. Il voulait que sa mémoire absorbe tout ce que les yeux de la petite fille avaient vu avant que la barbarie des hommes ne détruise son enfance. Il voulait respirer le même air pur qu'elle avait respiré, entendre les singes moqueurs qu'elle avait entendus, s'écorcher aux mêmes branches et saigner des mêmes plaies. Il voulait ouvrir la bouche en grand pour que le *Chergui* assèche sa gorge jusqu'aux poumons, sentir l'eau de la montagne ruisseler le long de son menton, laisser les blés sauvages lui fouetter les mollets et voir s'envoler les abeilles solitaires sur son passage. Il voulait suivre les mêmes troupeaux, traverser les mêmes oueds et s'éclabousser les jambes comme elle l'avait fait. Il voulait fouler l'herbe grasse des prairies après la fonte des neiges et le sable brûlant des étés sans automnes. Il voulait, dans la poussière des traces habiles des chèvres, retrouver les pas évanouis de Warda. Il voulait être accueilli par les aboiements amicaux de l'*aïdi* à l'orée du campement, partager l'*aghroum bout'gouri*, le pain farci berbère, boire le lait tiède avec les bergers et se laisser envahir par le parfum de la coriandre froissée qui verdissait les mains douces de Warda. Tarek voulait entendre l'écho du rire de petite fille que sa mère taisait depuis qu'elle avait treize ans. Il n'avait jamais imaginé qu'elle ait eu un passé avant sa naissance ; ça ne l'avait jamais intéressé et il se le reprochait à présent. Ce qu'il souhaitait par-dessus tout, c'était s'imprégner des derniers endroits où Warda avait été pure, comme pour reconquérir en son nom cette virginité si précieuse aux yeux de ceux qui l'avaient bafouée. Les révélations de son père avaient entaché, malgré lui, l'image que Tarek avait de sa propre mère. Si seulement il pouvait changer le passé ! Il aurait voulu qu'il n'y ait ni avant, ni après, que son père ait gardé à jamais ce secret dont il ne voulait pas et dont il refusait de charger Khadija et les enfants qu'ils auraient bientôt ensemble. La révolte s'était installée dans son cœur, contre la dictature des hommes, du Maroc et du destin. Il avait décidé que le pays qui avait si mal traité sa mère n'était pas digne de demeurer le sien. Il fallait qu'il parte comme son père avait voulu partir des années auparavant et que Tarek l'en avait empêché en venant au monde. Il ne tolérerait pas que les filles qui lui naîtraient peut-être soient traitées comme sa mère l'avait été, que ses fils se comportent comme Hassan, qu'on leur explique comment prier, comment vivre, qu'on leur apprenne à mépriser les femmes. C'est lui qui leur enseignerait le respect, l'amour et la dignité. Lui et Khadija.

Mais entre-temps mon grand-père est mort. Et mon père a dû remettre à plus tard ses projets. Il n'était plus question d'épouser ma mère et de quitter le Maroc avant que Mi Lalla et mes tantes ne soient à l'abri. Il était le chef de famille désormais et devait s'assurer que chacune de ses sœurs trouve un homme dont il approuverait les valeurs.

Je suis fier de mon père. J'aurais aimé le lui dire de vive voix, connaître cette histoire plus tôt. Pourquoi ne jamais nous l'avoir racontée ? *Pour que vous ne regardiez pas votre grand-mère d'une manière différente*, dit Kabic en français. *Ton grand-père, comme ton père, ont toujours eu un grand sens de la famille*, confie Mi Lalla, *et à cœur de protéger les plus vulnérables. C'est pour cela qu'il m'a épousée.* Je croyais que c'était parce que tu étais tombée enceinte et que c'était aussi pour ça qu'il avait décidé de ne pas prendre le bateau pour la France avec Kabic. Mi Lalla et Kabic interrompent leur récit à deux voix et demeurent silencieux un long moment.

Kabic allume une cigarette, tire de longues bouffées puis écrase le mégot encore incandescent dans un cendrier noirci. Il s'éclaircit la voix dans une courte quinte de fumeur avant de reprendre leur histoire.

Quelques mois après s'être enfuie de la maison d'Anfa et avoir été recueillie par Meryem, la mère de Kabic, le ventre de Warda s'est arrondi et sa *hchouma* est devenue visible. Elle avait si souvent vu sa propre mère enceinte, qu'elle savait exactement ce qui lui arrivait, mais elle n'avait que treize ans et aucune idée de comment elle s'était retrouvée dans cet état. *On ne parlait pas de ces choses-là aux enfants*, dit Kabic, *pas au début des années soixante et pas au Maroc.* Les jeunes filles étaient mariées sans savoir ce qui les attendait.

*Les jeunes gens n'en savaient pas davantage mais leur instinct les guidait comme les abeilles vers le miel*, ajoute Mi Lalla. Elle avait honte, honte de ne pas avoir fait attention. C'était sûrement quelque chose qu'elle avait mangé, mais quoi ? Ou bien elle était restée trop longtemps au soleil, la mère lui disait souvent de s'abriter à l'ombre, sans doute pour éviter de tomber enceinte. Ce n'est que lorsque Meryem lui a expliqué comment la nature créait la vie qu'elle a compris qu'elle portait en elle la malédiction de Hassan et que les visites nocturnes du garçon la hanteraient de la manière la plus cruelle jusqu'à la fin de ses jours ; sous les traits d'un enfant qu'elle serait condamnée à aimer.

Un jour, en l'apercevant, une femme a craché sur son passage en hurlant qu'elle devrait aller voir la sorcière de Sidi Moumen qui lui ferait passer cet enfant du péché, ce fruit du *haram*. Quand elle est rentrée en larmes, Meryem l'a consolée ; ce qui serait *haram*, ce serait de tuer ce bébé. Le seul qui avait commis un crime, c'était Hassan en plantant en elle la graine de la honte. Elle lui parlait en berbère avec la même douceur que la mère.

Et cet enfant ? Qu'est-il devenu ? Il est mort-né ? Il a été abandonné ? *Non, ma mère n'aurait jamais laissé faire une chose pareille*, s'exclame Kabic. Mais alors ? Les yeux de Mi Lalla sont noyés de larmes. Elle a enfoui tout cela au fond de sa mémoire depuis tant d'années. C'était presque comme si c'était arrivé à une autre. *Cet enfant, c'est ton père*, murmure-t-elle.

Quoi ? Mais c'est impossible ? Mon père est le fils de mon grand-père ! C'est pour ça que Kabic a pris le bateau seul pour la France. Parce que Mi Lalla était enceinte de lui. *Tarek est né deux ans plus tôt, la mère de Kabic m'a aidée à le mettre au monde*, murmure Mi Lalla. C'est faux ! Tarek adorait son père ! Il nous en parlait tout le temps ! C'est son père qui lui a appris la mécanique, c'est son père qui a voulu qu'il grandisse à Hay Hassani plutôt qu'à Sidi Moumen ! *Et pourquoi à ton avis ?* demande Kabic. Pour qu'il ait un meilleur avenir que lui. *Non. Parce que personne à Hay Hassani ne connaissait le passé de Warda. Personne ne pose de questions quand un jeune couple s'installe avec son fils de deux ans*, dit Kabic en levant les yeux vers moi. *J'ai épousé ton grand-père quand Tarek avait deux ans*, explique Mi Lalla. Et les deux premières années de l'enfance de Tarek, elle a vendu des oranges pour subsister tandis que Meryem gardait le petit. Les garçons l'aidaient bien, mais eux aussi devaient gagner de l'argent pour payer leur voyage en France. Ils avaient trouvé des petits boulots sur des chantiers et tout le monde subsistait tant bien que mal. Tout le monde adorait le petit Tarek. Meryem était pour lui la grand-mère que le destin lui avait choisie. *J'ai eu beaucoup de chance*, insiste Mi Lalla en cherchant la main rassurante de Kabic.

Je les regarde, éberlué. J'ai envie de hurler. Pourquoi on ne nous a jamais rien raconté ? Pourquoi je découvre tout ça maintenant ? Pourquoi mon père ne nous a jamais dit qu'il voulait se faire enterrer ici ? Dans ce pays qui ne lui a fait que du mal, ce pays qui a vendu sa mère comme une marchandise, l'a utilisée comme un objet et déshonorée en lui dérobant son seul salut ! Combien de fois va-t-il mourir ?

Combien de fois va-t-on réécrire la vie de mon père, ce que je sais de lui, ce qu'il est pour moi ? Je me fous de ce qui s'est passé ! Je me fous de savoir si mon grand-père était bien mon grand-père ! Je ne l'ai même pas connu ! J'étais très bien, moi, avec les anecdotes de mon père sur son enfance. Je m'étais construit des racines. Pas besoin de photos puisqu'on était trop pauvre pour en prendre ! Ses souvenirs, son enfance, son Maroc, j'en ai hérité de toute façon, mais maintenant j'en fais quoi ? Pourquoi me dire tout ça aujourd'hui ? À quoi bon avoir gardé tous ces secrets si longtemps et les révéler maintenant qu'il n'est plus là ? Ça sert à quoi ?

Devant les larmes de Mi Lalla, je garde le silence. La seule certitude que j'ai, c'est que je suis le fils de mon père. *Et c'est la seule qui compte*, me rassure Kabic. *Tes frères et toi savez d'où vous venez. Ne te pose jamais la question, Marwan, tu n'as pas le droit. Ce serait une insulte à la mémoire de ton père, de ton grand-père et de Mi Lalla qui ont tout fait pour que tu aies des ancêtres.* Mais lui, Tarek, était-il au courant ? *Je ne le lui ai jamais dit*, regrette Mi Lalla, *mais je crois qu'il savait.*

Quand le jour fatidique est arrivé, le jour du départ pour la France, le jour pour lequel Kabic et mon grand-père avaient tant travaillé, tant économisé, le jour auquel ils avaient tant rêvé depuis tant d'années, Kabic a reculé. Il a décrété qu'il ne partait plus, qu'il ne pouvait pas laisser sa mère et Warda, toutes seules avec le petit Tarek. Elle ne pouvait pas élever son enfant toute seule. Personne ne voudrait jamais d'elle. Kabic épouserait Warda et deviendrait un père pour Tarek. Kabic marque une pause et s'arrête sur le visage incrédule de Mi Lalla. Elle ne savait rien de cette histoire. *Tu voulais m'épouser ? Pourquoi tu ne m'as jamais rien dit ?* interroge-t-elle incrédule.

Ces révélations ne chamboulent pas mes origines géographiques, je suis français de parents marocains, mais elles arrachent des racines que je croyais bien plantées. J'ai beau me répéter que je suis le fils de mon père et que, comme l'affirme Kabic à raison, c'est la seule certitude qui compte, je ne peux pas m'empêcher de songer à ce qu'il a dû ressentir en apprenant qu'il était l'enfant d'un viol. Et Mansouri, c'est le nom de qui ? *C'est le nom que ton grand-père a choisi quand nous avons quitté Sidi Moumen*, répond Mi Lalla. Il voulait un nom de Fès pour que les gens ne posent pas de question sur nos origines. Mais c'est quoi notre nom ? Le nom de nos ancêtres ?

— À Sidi Moumen, personne n'avait de nom. On ne s'appelait jamais par nos noms, mais par nos visages, intervient Kabic.

— Et le visage de mon père, il ressemble à qui ?

Mi Lalla me fixe sans détacher les yeux. *Son visage c'était celui de Hassan*, dit-elle, *et je l'ai longtemps maudit. Plus les années passaient, plus Tarek lui ressemblait. Quand il a eu quatorze ans, je me suis retrouvée face à mon violeur ; ce fils, que j'aimais plus que tout, avait le visage de l'homme dont la famille avait détruit ma vie. Ton grand-père s'en est aperçu. Il adorait Tarek et m'aimait comme on ne peut que souhaiter être aimée. Lui, qui avait déclaré un jour qu'il tuerait Hassan et sa mère de ses propres mains, m'a suppliée de leur pardonner. Il ne voulait pas que ma rancœur se déverse sur notre fils et, si malheureusement il arrivait à mes yeux de le confondre avec Hassan, mon cœur ne devait pas s'en prendre à celui que j'avais mis au monde. J'ai essayé, essayé et essayé encore, mais je me suis privée de l'aimer pendant des années. Je crois que c'est aussi pour ça que tes parents ont quitté Casablanca ; parce que Tarek sentait que sa présence me faisait souffrir.* Mi Lalla baisse la tête en tirant sur ses doigts comme une petite fille. *Quand Ali et toi êtes nés, la ressemblance s'est dédoublée et j'ai compris que le destin m'offrait une autre chance. J'étais condamnée à aimer les traits de Hassan dans l'innocence de ceux de ton frère et des tiens. Ma mémoire m'a alors rappelé les paroles de ton grand-père et j'ai redécouvert le visage de mon fils. Bien tard.*

Les mots me manquent. Jamais je ne pourrai appréhender à quel point la vie de Mi Lalla a été différente de la mienne, jamais je ne pourrai ressentir ce que Tarek a ressenti en voyant sa mère souffrir du fait de sa propre existence, jamais je ne pourrai changer l'histoire de ma famille et l'héritage qui nous hante jusque dans nos visages. Je ferme les yeux pour chercher sa présence. Je me sens soudainement très proche de mon père. Je voudrais qu'Ali et Foued soient là aussi. Ali surtout.

— Il savait tout ça ?

— Ton père ? On ne le lui a jamais dit, répond Kabic.

— Il y a une chose que je ne comprends pas : si mon grand-père n'a pas été obligé de rester à Casa parce qu'il avait mis Warda enceinte, et si tu étais prêt à l'épouser et à élever Tarek, comment se fait-il que ce ne soit pas toi mon grand-père ?

## 22

Lorsqu'une semaine avant le départ, Kabic a annoncé à mon grand-père qu'il ne partait plus, celui-ci a réagi violemment. Qu'est-ce qu'il irait faire tout seul à Paris alors qu'il parle à peine le français ? Sans Kabic, il n'y a plus de projet. Sans Kabic leur rêve d'enfant n'existe plus. Et puis de toute façon, ce rêve, c'est celui de Kabic, pas le sien ! Lui n'a accepté que parce qu'il ne s'imagine pas vivre loin de celui dont la volonté d'Allah et les années ont fait son frère. La France, c'est Kabic qui en parle depuis qu'ils sont gamins. Bien sûr la belle maison à Californie, le grand jardin, les belles voitures et les femmes qui se pressent devant la porte, ça fait rêver quand on a dix ans, à peine un toit sur la tête et qu'on passe ses après-midi à reluquer les baigneuses depuis la grille de la piscine municipale, mais maintenant il a un boulot qui lui plaît. C'est un bon mécanicien, il a trouvé sa voie. Il est bien à Casa ! C'est chez lui ! Sa vie ici lui suffit, il n'a plus besoin de rêves mais Kabic, lui, ne doit sacrifier le sien pour rien au monde car une vie plus grande l'attend en France. La première fois qu'il l'a vue, mon grand-père a su que Warda serait la femme de sa vie. Ses jambes ont flanché et il ne s'est pas passé une heure depuis sans qu'il pense à elle. Et Warda l'aime aussi. Il le sait. Ils se sont échangé leurs rires, ce jour-là, quand il racontait des histoires sur la place de Sidi Moumen. Kabic ne peut pas renoncer à la France. C'est comme si elle coulait dans ses veines ; on ne va pas contre ça. C'est le destin ! Mon grand-père, avec un peu de chance, reprendrait le garage de son patron dans quelques années et assurerait à Warda et Tarek une vie loin de Sidi Moumen. Qu'est-ce qu'il y a pour lui en France ? À part une ville grise de gens gris qui se moqueront de son accent marocain et l'appelleront Mohammed en ricanant, lui qui sait à peine prononcer *une baguette s'il vous plaît* correctement !

— Et qu'est-ce qui s'est passé ? C'est Mi Lalla qui a tranché ?

— Non, Marwan, ton grand-père ne connaissait rien de mes sentiments pour Warda. Et elle non plus…

Mi Lalla se tait. Son français est bien meilleur que ma mémoire me le faisait croire. Elle a tout compris et semble attendre le reste de l'histoire, du secret dont elle était le centre mais qu'elle ignorait. Je les observe tous les deux. Presque timidement, elle prend la parole en me regardant. Elle n'a jamais appris à lire. Elle a toujours pensé que le plus important, c'était de parler ; en berbère, en arabe *et même un peu en français*, me lance-t-elle d'un œil malicieux. Quand Kabic les a quittés pour s'installer en France, elle s'est rendu compte à quel point il lui manquait. Leur amitié est devenue épistolaire, et son absence, quotidienne. *Les mots ne sont pas les mêmes quand on leur supprime la voix*, chuchote-t-elle en arabe. Mon grand-père et elle recevaient rarement du courrier et en écrivaient encore moins, pourtant chaque matin, elle guettait le facteur et se précipitait vers lui en cherchant le profil de Marianne sur les enveloppes. Quand il n'y avait pas grève en France, ils pouvaient recevoir presque une lettre par mois ! Mon grand-père lisait, péniblement et à haute voix, chaque heure de la vie de Kabic, entremêlant les mots de son ami de rires et de silences. *Sa solitude à Paris, dans ce foyer de travailleurs migrants, était insupportable à imaginer pour ton grand-père qui s'en voulait malgré tout de ne pas l'avoir accompagné. Et à moi il manquait comme le printemps au cœur de l'hiver*, conclut Mi Lalla comme si Kabic n'était pas dans la pièce. *Je ne pouvais pas le lui dire, pas le lui écrire car je n'ai jamais su. Ton grand-père faisait rédiger ses lettres par un écrivain public, il n'aurait pas compris que je lui demande d'ajouter un mot de moi.*

Ma grand-mère, tout petit bout de femme frêle qu'un coup de *Gharbi*, ce vent glacial de l'Atlantique, emporterait et qui a résisté à tant de bourrasques, a conservé un cœur de jeune fille. Un jour où je me plaignais quand j'étais petit, mon père m'avait dit que tout passe, qu'il ne sert à rien de se lamenter car, en réalité, il y a peu de choses qui en vaillent vraiment la peine. Mi Lalla ne s'est jamais plaint. Elle a accepté son chemin comme si les horreurs de son enfance avaient rendu dérisoires les maux de l'existence. Je me demande pourtant si, en sauvant Warda du déshonneur, mon grand-père et Kabic ne l'ont pas empêchée, malgré eux, de retrouver le bonheur que ses treize ans avaient abandonné dans le Moyen Atlas. L'amour que mon grand-père éprouvait à son égard était-il réciproque ? *Oui, je l'ai aimé*, me confie-t-elle, *mais j'ai toujours su que mon âme sœur, c'était Kabic*. Un flottement remplit le tout petit salon, comme si l'esprit de mon père et de mon grand-père venaient de quitter la pièce, satisfaits que le destin réunisse ainsi ceux qu'ils ont aimés. Nous gardons tous les trois le silence.

Et le message au dos de la photo ? Deux écritures différentes que Kabic dit toutes les deux appartenir à la main de mon grand-père. *J'y viens*, répond Kabic. *Ton grand-père avait une force de conviction que j'enviais. Quand je lui ai expliqué que je ne partais plus pour la France et que je comptais m'occuper de Warda et de Tarek, il n'a pas pris longtemps à me démontrer qu'une vie m'attendait de l'autre côté de la Méditerranée et que je n'avais pas à m'inquiéter car c'est lui qui épouserait Warda et donnerait un père à Tarek. Il tenait à prouver à tout Sidi Moumen que rien n'était écrit, qu'une volonté de fer pouvait triompher de n'importe quel fatalisme, même celui qui frappait Warda. À Paris, je trouverais du boulot sans problème avec mon français d'instituteur, comme il disait. Il faudrait sans doute quitter Sidi Moumen pour que notre secret à tous les trois ne les rattrape pas, s'installer dans un quartier moins pauvre, faire « naître » Tarek après leurs noces pour que personne ne pense qu'il était sans père. Tarek n'avait pas été déclaré à la naissance.* Comment ça ? *Ton père n'avait pas cinquante-quatre ans, il en avait cinquante-six !* Vous avez menti à mon père sur son âge ? *On lui a donné deux ans d'enfance en plus*. Une enfance pauvre et sans père ! *Pauvre, pour toi petit Français, oui, mais pas malheureuse. Et puis, il a eu mieux qu'un père, il en a eu deux ; un à Casa et un autre en France ! Ton grand-père avait songé à tout, Marwan, et en l'écoutant, je me disais que sa logique était implacable et que c'était la meilleure solution pour que Warda trouve le bonheur. Ils le nourriraient de leur amour, lui donneraient des frères et sœurs, en feraient un homme. Et lorsqu'il serait prêt, il me rejoindrait à Paris. Je me suis entendu murmurer « d'accord » malgré mes sentiments pour Warda. J'ai réalisé mon rêve de gosse en prenant le bateau pour Nantes, mais j'ai aussi renoncé à la femme que j'aimais sur le quai du port de Casablanca. Il n'y a pas de roses sans épines. Depuis le premier jour où je t'ai vue, Warda, et que j'ai partagé cette demi-orange avec toi, je t'ai aimée. Et même si j'ai chéri Safia d'un amour profond jusqu'à ce que le cancer me l'arrache, qu'Allah veille sur son âme, mon amour pour toi n'a jamais cessé malgré l'exil.*

Mi Lalla prend la main de Kabic et la guide vers ses lèvres. Elle l'embrasse et la pose sur son cœur. Il n'y a pas de roses sans épines. Les paroles de mon père me reviennent soudain. C'est de sa propre mère Warda, la rose, qu'il parlait en expliquant que certaines piqûres font souffrir toute la vie, *et même après*. Et ce n'est pas lui qui avait été piqué par l'épine du destin, par la *hchouma*, mais la petite Warda. Une piqûre qui s'est transmise inconsciemment de génération en génération, d'abord à mon père, puis à mes frères et moi et qui risque maintenant de toucher le petit Gabriel. Il y a des ressemblances familiales qui se voient facilement, des yeux verts, des cheveux frisés, un nez en trompette ; des atavismes qui sautent une génération et font sourire quand ils réapparaissent au débotté. Parfois on hérite aussi de blessures, de hontes qui s'installent dans l'inconscient familial et prennent plusieurs générations pour cicatriser, à moins que quelqu'un ne décide, comme mes parents, de s'exiler pour remettre les compteurs à zéro et abandonner derrière eux le poids de cet héritage.

*Nous avons élevé ton père à trois*, poursuit Kabic, en contenant son émotion. *J'envoyais de l'argent tous les mois et j'ai insisté pour qu'il apprenne le français.* Et la photo que j'ai trouvée avec les deux inscriptions en arabe au dos ? *J'ai mis cinq ans à économiser de quoi revenir au Maroc pour un mois. J'ai pleuré de bonheur quand j'ai revu Warda et ton grand-père pour la première fois après ces cinq années d'exil. Quand Tarek est apparu, c'est en silence que j'ai versé des larmes. Je me suis rendu compte que je ne le verrais jamais grandir, que je ne tiendrais jamais la main de Warda et que je devais bannir tout ressentiment envers ton grand-père, qui était pour moi au-delà d'un frère. Dans la solitude de Clichy, la seule chose qui me permettrait de tenir, ce serait une photo. J'ai emmené ton père chez le photographe, c'était hors de prix en dirhams mais abordable en francs. Au moment de reprendre le bateau, j'ai compris que tant que je n'aurais pas fait le deuil de ma vie marocaine dont cette photo était le symbole, je ne pourrais pas avoir de vie en France, alors je l'ai offerte aux seuls parents que Tarek aurait jamais en écrivant « vous me manquez tellement » au Bic vert au dos. Quelques semaines plus tard, ton grand-père me l'a renvoyée et ajoutant « il est beau notre fils ! » au crayon à papier. Et maintenant la voilà revenue à Casablanca, en même temps que le cercueil de ton père.*

Et mon père ? Il savait ? *On ne lui a jamais rien dit*, murmure Mi Lalla, *mais il savait*. Elle ignore comment il l'a appris, mais un jour Ibrahim, le mécanicien de mon grand-père, a retrouvé Tarek planqué derrière le garage, les mains en sang. Il s'était bousillé les poings sur un mur en briques, sans se douter qu'Ibrahim avait pris l'habitude d'y appuyer sa fatigue entre deux réparations. Tarek était méconnaissable de rage et il s'était effondré dans les bras d'Ibrahim. Quand son mécano lui a raconté l'incident, mon grand-père a compris que le secret dont le cœur de Warda et le sien étaient encombrés depuis si longtemps n'en était plus un. Jamais, cependant, il n'en a parlé à Tarek, refusant de gratter une plaie qu'il ne pourrait empêcher de suppurer.

Mi Lalla détourne les yeux. Kabic allume une cigarette qu'il lui tend, puis une autre pour lui. En passant devant moi pour entrouvrir la fenêtre, il laisse tomber le paquet sur mes genoux. Finalement c'est eux qui ont raison, si leur génération a pu surmonter les épreuves dans le réconfort du tabac, je veux bien essayer, au moins le temps d'une bouffée de tristesse ou deux. D'un coup de pouce j'ouvre le paquet. Il ne reste qu'une cigarette aux côtés de son vieux briquet BIC terni ; celle qui a la tête en bas. *C'est la plus importante du lot*, murmure Kabic, *celle dont on a le plus besoin*. Je la porte à ma bouche et efface les empreintes de Kabic en saisissant le briquet ; les empreintes de Kabic, de mon grand-père et de toute cette famille par procuration qui est la mienne. J'y imprime fermement les miennes. D'un geste presque rituel, j'allume cette dernière cigarette qui est aussi ma première. Je n'ai jamais fumé. J'inhale le réconfort des désœuvrés comme je les vois tous faire depuis mon enfance, ferme les yeux, et suis soudain saisi d'une quinte de toux. Kabic et Mi Lalla m'observent sans bouger. Je dois franchir seul cette étape. Au bout de quelques secondes, je cesse de tousser et m'habitue au feu qui remplit désormais ma gorge, mes poumons et le reste de ma vie. Dans une apaisante communion, nous tirons tous les trois sur nos cigarettes, la tête dans la fumée et le cœur dans le souvenir.

# 23

Nous avons porté le cercueil à quatre, mes frères, Kabic et moi. Je me suis mis du même côté que Kabic, derrière lui. Il n'a pas autant de force qu'Ali ou Foued, et j'ai compensé en supportant la plupart du poids tout seul. En réalité, le cercueil n'était pas lourd du tout, ce qui m'a surpris. On ne sait jamais combien ça pèse, des parents ; en kilos peut-être mais les kilos ce n'est rien. Le corps de mon père était léger, à présent que son âme était libre. Mohammed est venu avec tous les cousins. Ça nous a touchés, Ali et moi, de voir qu'ils se souvenaient de notre père. Quand Ali a débarqué le matin en costume, tout le monde s'est moqué de lui gentiment en le félicitant, en même temps, pour sa réussite. Mo l'a surnommé triple A : Ali, Avocat, Audi. Foued a éclaté de rire, moi aussi et Ali, dont je m'attendais à ce qu'il décoche à Mo une flèche de sarcasme dont il a le secret, nous a suivis dans un fou rire qui nous a soudés tous les trois. Les cousins nous ont prêté des djellabas blanches, pour respecter la tradition. Nous nous sommes déshabillés dans la salle de bains et les avons enfilées à même la peau, à la marocaine.

Ali a regardé son reflet dans le miroir, il a caressé le tissu de sa djellaba puis s'est retourné vers nous. *On a beau dire, c'est la classe ! Il serait fier de nous voir habillés comme ça !* C'est exactement ce que j'ai pensé aussi. Foued a souri et nous a réunis dans une accolade maladroite. Il a murmuré *mes fils, mes fils*, en dodelinant de la tête comme le faisait si souvent mon père et nous avons ri nerveusement. Quand nous sommes passés devant la casse, Abraham a incliné la tête par respect puis s'est joint à notre procession. Foued m'a demandé qui c'était, et j'ai répondu : un prophète que Papa connaissait.

Ma mère est restée chez Mi Lalla avec les autres femmes, comme la tradition l'exige. Quand ma grand-mère et elle se sont retrouvées hier, elles n'ont pas eu besoin de mots. Khadija a adossé sa peine contre celle de Warda, et leur deuil leur a paru moins lourd.

Le jour précédent, elles avaient passé l'après-midi à préparer le couscous pour la veillée funèbre, secondées par les tantes Imane, Fatima et Saïda et leurs filles qui se disputaient le moindre centimètre carré de la minuscule cuisine de Mi Lalla. Leurs gazouillis résonnaient jusqu'au salon où se tenaient les hommes de la famille ; Kabic, mes frères, les maris de mes tantes et les cousins. Les voix de femmes, en arabe, surtout quand elles sont imprégnées de nostalgie, ont un écho particulier. Celle de ma mère, la plus familière, était davantage feutrée que les autres. Peu à peu, à force de parler cette langue engourdie qui est pourtant la sienne, elle a retrouvé l'équilibre en s'appuyant sur celles qui l'entouraient, comme un nourrisson qui ferait ses premiers pas, soutenu par les mains assurées de celles qui l'ont mis au monde.

Ali, ma mère et Foued étaient tous les trois éreintés par leur voyage. Ali n'était pas parvenu à joindre Bérangère et avait composé son numéro sans discontinuer toute la soirée, laissant des messages sur sa boîte vocale en s'énervant. Il avait maugréé contre mon père de l'avoir fait venir dans *ce pays pourri où le téléphone ne passe pas* alors que sa famille était restée à Paris. Foued gardait difficilement les yeux ouverts. Il avait relayé Ali au volant depuis Paris, et avait conduit tout d'une traite de Tanger à Casablanca. La route de la côte ne fait que trois cent trente kilomètres, de l'autoroute pour la plupart, mais elle est encombrée de camions et les Marocains respectent rarement les limitations de vitesse. Ils ont failli mourir dix fois ! *Le plus pénible*, m'avait confié Foued, *c'est de traverser Tanger pour rejoindre l'autoroute. Les scooters surgissent de partout, se moquent des sens uniques, les cyclistes aussi, ils déboulent d'en face et parfois tu te retrouves coincé entre un scooter à gauche qui va dans le même sens que toi et un autre à droite qui t'arrive dessus dans le sens inverse ! Sans compter les ânes, les piétons qui refusent d'utiliser les trottoirs, les camions plantés en travers de la route, les policiers qui t'arrêtent parce que tu as une voiture européenne ! Heureusement que Maman était là pour leur expliquer en arabe qu'on se rendait à l'enterrement de notre père ! Déjà en Espagne, ils conduisent comme des dingues, mais ici !*

J'avais chuchoté à l'oreille de Foued que tout ça ne valait pas le trajet en taxi que nous avait fait endurer Mo, à Kabic et à moi ! Il avait cherché des yeux notre cousin, puis avait pouffé de rire ! Mo vautrait sa paresse dans le fauteuil de Mi Lalla, s'ouvrant l'appétit à grands coups de *fekkas* au fromage. Il époussetait régulièrement les miettes huileuses qui maculaient sa djellaba de petites taches de graisse. *Et ça m'a coûté deux cent quatre-vingts dirhams !* avais-je ajouté.

Ça m'avait fait du bien de voir Foued rire de plus belle, d'entendre la voix douce de ma mère dans la cuisine, et même de retrouver la mauvaise humeur d'Ali. Ils m'avaient manqué. Le rire de Foued avait fini par attirer Ali qui, délaissant son téléphone, s'était assis avec nous. Ils m'ont raconté le reste de leur périple à deux voix, la musique qu'ils ont écoutée et qui leur a rappelé Papa tout le long du trajet, les moments difficiles où les larmes de Maman devenaient contagieuses, mais aussi l'étrange bonheur qu'ils ont éprouvé de se retrouver ensemble. Puis Ali a dit *c'est dommage que tu n'aies pas été là* et pour la première fois depuis nos dix ans, j'ai retrouvé le complice de mon enfance, mon frère, mon jumeau.

Je les ai emmenés tous les deux au Grand Café. Il n'était que seize heures et nous éprouvions le besoin de nous échapper de la famille. Mes oncles et mes cousins nous ont regardés avec un drôle d'air, mes tantes et leurs filles aussi, seul Kabic, Mi Lalla et ma mère ont compris que nous, les petits Français comme ils nous avaient toujours appelés, avions du mal à souscrire à leurs traditions tribales, malgré tout le réconfort qu'elles étaient censées procurer. J'ai prétexté que nous avions des choses à régler quant à l'avenir du garage de mon père à Clichy afin de ne vexer personne et

Maman m'a souri. On ne dupe jamais tout à fait sa propre mère.

Nous nous sommes assis à une table de quatre et avons commandé trois *nousse-nousses*. Foued a admis qu'il en avait besoin pour rester éveillé. Ali a réglé, à la française, avant même que le serveur ne nous ait apporté l'addition. Puis il y a eu un silence. Pas un silence embarrassé, pas du tout même ; un silence de paix, un silence de communion, comme si nous attendions que l'âme de notre père prenne place sur la chaise vide. Ali a dit *alors ça y est, on est en première ligne maintenant* et Foued a ricané nerveusement. Je les ai observés en silence en me demandant si je devais partager avec eux le secret dont j'avais hérité malgré moi. À quoi cela nous avancerait-il ? On ne change pas l'Histoire. J'ai regardé la chaise vide et j'ai compris pourquoi c'était moi que mon père avait désigné pour l'accompagner jusqu'ici. Il savait que Mi Lalla et Kabic me révéleraient ce qui s'était passé. Il savait que ça ne changerait rien à mon amour pour lui, mais surtout il savait qu'en tant qu'historien, jamais je ne pourrais cacher la vérité à mes frères. Jamais je ne pourrais occulter ce qui était notre histoire commune à tous les trois.

Ni l'un ni l'autre n'ont posé de questions quand j'ai terminé mon récit. Foued m'a regardé avec de grands yeux. Tout semblait se bousculer dans son esprit. Il a murmuré comme en lui-même *vendue ?* avec l'incrédulité de n'importe quel Occidental qui prend les Droits de l'Homme pour argent comptant. Ali s'est effondré en larmes. Je sais pourquoi. Toute la rancœur qu'il avait accumulée contre mon père et moi depuis ce jour où il m'avait traité de bâtard, lui serrait à présent la gorge. Il comprenait la colère folle que mon père avait déchaînée contre lui, la colère d'un homme blessé depuis sa naissance par l'injustice d'une société qui les aurait traités, sa mère et lui, comme des parias si mon grand-père ne les avait pas recueillis. Ali s'est levé pour me prendre dans ses bras, mais c'est moi qui me suis retrouvé à le serrer dans les miens. Il a murmuré en pleurant *tu crois qu'on peut rattraper le temps perdu ?* puis s'est assis sur la quatrième chaise. Nous sommes restés sans dire un mot pendant plusieurs minutes, jusqu'à ce que le téléphone d'Ali nous tire de nos pensées. C'était Bérangère qui voulait le rassurer et lui dire qu'il lui manquait.

# 24

Après l'enterrement, Abraham m'a fait signe qu'il voulait discuter. J'ai dit à Kabic et mes frères que je les rejoindrais un peu plus tard à l'appartement de Mi Lalla et j'ai raccompagné Abraham jusqu'à la casse. C'est vendredi, jour de prière ici, la vie passe au ralenti. Abraham a poussé la grille qu'il n'avait pas pris soin de fermer à clef quand il nous avait rejoints pour l'enterrement. Il m'a servi le thé à la menthe, m'a indiqué le même bidon que la dernière fois et s'est assis sur l'autre, en face de moi. *Tu sais qui je suis ?* m'a-t-il demandé. *Oui, tu es Ibrahim, le mécanicien de mon grand-père. Abraham en hébreu, Ibrahim en arabe, pourquoi tu ne m'as rien dit ?*

Abraham m'avoue que la ressemblance avec mon père est frappante ; il m'a reconnu tout de suite le jour où je cherchais le cimetière et m'a demandé mon nom pour en avoir la confirmation. Quand je lui ai appris que mon père était mort, il n'a pas osé me dire qu'il l'avait connu, et il a caché ses larmes dans l'obscurité en baissant la tête pour se curer les ongles avec son canif. Quand Tarek est parti pour la France, leur amitié a quitté Casablanca avec lui. Il n'y avait pas de téléphones portables à l'époque, pas d'Internet, aucun moyen de garder le contact, mais il a souvent pensé à mon père et ses tourments. *Ses tourments ?* Abraham avale sa réponse dans une gorgée de thé. Il s'est coupé. Il ne voulait pas m'en parler, la mémoire de mon père doit reposer en paix à présent. Il y a des histoires qu'il vaut mieux laisser disparaître avec ceux qui les ont portées. Je jette le gobelet de thé sur le sol en béton craquelé. Il se fracasse en mille petits miroirs, comme si le destin multipliait le bail du malheur. Je sens la rage monter. J'essaie de la contenir. Je ne connais pas Abraham et il ne m'a rien fait, mais ma soupape de sécurité est prête à exploser depuis que je suis arrivé ici. Ils me font tous chier ! Ça a commencé avec Mo et ces putain de Marlboro ! Et de me faire payer la course en taxi ! Je lui aurais bien cassé la gueule si je m'étais écouté !

— Mais c'est pas bientôt fini tous ces secrets ! Qu'est-ce que ça veut dire ? C'est ça le Maroc ? Un pays où tout le monde a quelque chose à cacher ? Où les parents mentent à leurs enfants, les amis entre eux, les frères à leurs sœurs, les femmes à leurs maris et les fils à leurs mères ? Ça fait deux jours que je n'entends que ça, des mensonges ! Et maintenant je dois vivre avec ? Mais je m'en fous de vos traditions barbares, de votre obsession pour la virginité ! C'est la dernière fois que je mets les pieds ici. Je n'en peux plus ! Je veux rentrer chez moi, et chez moi, c'est pas ici. Il n'y a rien pour moi ici, rien de bon. C'est pour ça que mon père et ma mère sont partis, parce qu'ils voulaient qu'on grandisse loin de toute cette merde !

— Pas seulement.
— Comment ça ?
— Tes parents ne sont pas seulement partis pour ça. Je n'ai pas de secret, Marwan, je n'ai que de la compassion pour toi, ta mère et tes frères. C'est de la vie de ton père dont je veux te parler, sa vie et son destin, son parcours jusqu'à Clichy. C'est ton héritage, mais si tu préfères en rester là, je me tairai.

Je me rassois sur le bidon pendant qu'Abraham m'apporte un nouveau gobelet de thé. Je suis désolé. Je ne m'emporte jamais, ni avec mes élèves, ni avec personne. Abraham pose sa main sur mon épaule en murmurant qu'il sait, que je n'ai pas besoin de m'excuser, il y a plus de gobelets dans son placard qu'il n'y a de colère dans mon cœur. Si je veux en briser d'autres, il comprendra. *Profites-en ! Si tu ne peux pas le faire dans une casse...* Je souris. Et pour ma tristesse, il n'y a rien de mieux que le thé à la menthe. Il s'assied à mes côtés et entame son récit.

Un jour Tarek est arrivé au garage en décrétant qu'il voulait devenir garagiste. Il n'avait pas plus de seize ans. Abraham s'en souvient parce qu'il venait de commencer à travailler pour mon grand-père. Mon père et lui avaient trois ans d'écart. Un an en fait, me dis-je en songeant à ce que Kabic m'a révélé sur le véritable âge de mon père. Tarek serait mécanicien, comme eux. Il apprendrait le métier et suivrait les pas de son père. Le lendemain, mon grand-père est allé lui acheter sa première salopette et lui a donné sa vieille besace en cuir pour qu'il y range ses outils. Comme ils avaient à peu près le même âge, Tarek et Ibrahim, que personne n'appelait jamais Abraham, sont vite devenus amis et Ibrahim lui a enseigné ce que sa petite expérience lui avait appris. Mais très vite mon père l'a dépassé. *C'était un mécano hors pair, même meilleur que ton grand-père ! Ça lui venait naturellement, il pouvait démonter et remonter un moteur de mémoire, un peu comme les grands guitaristes sont capables de jouer une mélodie qu'ils n'ont entendue qu'une seule fois.* Ils partageaient leurs rares pourboires et les dépensaient en café le lendemain. Pendant huit ans, ils se sont vus tous les jours, ont réparé les automobiles magnifiques des riches d'Anfa. Ils avaient acquis une sérieuse réputation ! *Même quand ton père a fait une fugue avec la berline d'un client pendant trois jours dans l'Atlas, ça n'a pas affecté le garage.* Leur amitié n'était pas compliquée ; jamais Abraham n'en a connu de pareille depuis.

Comment connaît-il cette histoire de fugue dans l'Atlas ? Mon père lui en a parlé. De sa mère qui avait été vendue à une riche famille d'Anfa, des viols répétés qui avaient fait d'elle une paria, de son père qui était un saint aux yeux de Tarek. Il en avait besoin. Pour le reste, Ibrahim n'a jamais posé de questions, chaque homme a son parcours. C'est arrivé presque par hasard alors qu'Ibrahim grillait une cigarette à l'arrière du garage, dans la petite cour à laquelle on pouvait accéder par la rue, pendant que mon grand-père était allé reconduire une superbe Alfa Roméo chez un client. Tarek a surgi en courant, paniqué, essoufflé, les yeux humides. Il s'est cassé en deux pour retrouver sa respiration puis s'est assis sur une pile de pneus et a fondu en larmes. Ibrahim n'avait jamais vu son ami pleurer. Il a voulu prévenir son patron, mais Tarek l'a rattrapé en l'implorant de garder sa langue pour lui. Puis il s'est mis à taper à poings nus sur le mur de briques, en pleurant et en hurlant *mektoub, mektoub*, saloperie de destin ! Ibrahim a eu du mal à le maîtriser, *je ne voulais pas qu'il bousille ses mains, elles valaient de l'or ! C'était son avenir !* Tarek tremblait, mais l'amitié d'Ibrahim l'a aidé à se calmer. Ses poings étaient en lambeaux et le sang lacérait la poussière, mais sa douleur provenait d'ailleurs. *Parle-moi !* avait exigé Ibrahim. Si Tarek s'était mis dans une mauvaise passe, Ibrahim était prêt à l'aider, même s'il fallait le cacher au patron.

— Qu'est-ce qu'il avait bien pu faire ?

— Il avait rencontré quelqu'un, le matin même.

Abraham ne connaît l'histoire qu'au travers de ce que lui a raconté mon père à l'époque et sa mémoire, précise-t-il, lui joue sans doute des tours. Quand il a demandé à Tarek ce qui le mettait dans un état pareil, il lui a répondu que la fatalité venait de le frapper pour la deuxième fois, mais que c'était fini. *C'était fini ?*

Le garage de mon grand-père avait acquis une sérieuse réputation parmi les habitants d'Anfa et surtout leurs chauffeurs. Le temps où on n'y réparait que les Motobécanes et les vélos Solex des domestiques était loin, on s'occupait désormais des berlines de luxe des maîtres et parfois aussi des coupés sport de leurs héritiers. Les fils de famille faisaient souvent la course le long de la corniche pour épater les filles qui sortaient de Tahiti, la plage privée où la jeunesse dorée de Casa passait ses samedis et dimanches à danser. Parfois les clients exigeaient, qu'une fois réparée, leur voiture soit reconduite chez eux par l'un des trois mécanos et mon grand-père, Tarek et Ibrahim se relayaient le privilège. Ce jour-là Tarek avait reconduit un magnifique cabriolet Mercedes 380SL gris-bleu qu'Ibrahim avait remorqué la veille depuis chez la propriétaire, une jeune femme marocaine. Pneu crevé. C'était au tour de Tarek de la reconduire. Il avait vingt et un ans et s'était donné des frissons en remontant le boulevard du Lido à toute berzingue, cheveux au vent – c'était l'époque de la chevelure dense de la photo de son club de football – jusqu'à la rue indiquée sur la facture. Le chauffeur lui avait ouvert le portail et il avait remonté l'allée à travers un luxuriant jardin parsemé de cèdres de l'Atlas, de pins noirs, d'acacias et d'orangers cinquantenaires comme son père en avait toujours rêvé. La gouvernante de la maison l'attendait sur le perron et Tarek lui avait remis la facture. Elle l'avait dévisagé sans mot dire et il se sentait mal à l'aise. Après quelques minutes d'un silence embarrassé, elle avait demandé *finalement ta mère n'est pas retournée dans l'Atlas comme tout le monde l'a cru ?* Tarek avait eu un mouvement de recul. *Tu connais ma mère ?* La gouvernante avait répondu qu'il serait payé sous quinze jours avant d'ajouter *je te conseille de quitter cette maison maintenant, et de ne jamais y remettre les pieds.* Tarek ne s'était pas fait prier. Il avait déguerpi en courant et s'était posté de l'autre côté de la grille sans détacher les yeux du perron. Au bout de vingt minutes, un homme d'environ trente-cinq ans était apparu. Tarek ne distinguait pas bien son visage car il se tenait en retrait, dans l'ombre des grands arbres, tout en fumant une cigarette. Planqué dans la pénombre des châtaigniers qui bordaient la grille du jardin, Tarek fixait l'homme en s'efforçant de ne pas cligner des yeux. Pourquoi la gouvernante l'avait-elle sommé de ne jamais revenir dans cette maison ?

Abraham suspend son récit. Il sait que j'ai compris et prend une gorgée de thé à la menthe pour faire passer la gêne. Quand l'homme s'est avancé dans la lumière, son visage est sorti de l'ombre et Tarek l'a reconnu immédiatement. Ce visage, c'était le sien ; celui que sa mère avait eu tant de mal à accepter pendant son adolescence, celui que son père n'avait jamais rejeté ; celui de Hassan.

Ce jour-là, dans la petite cour où il venait de se briser les poings, Tarek s'est effondré en sanglots dans les bras d'Ibrahim car il a réalisé que l'homme qu'il aimait et admirait le plus au monde et auquel il passait son temps à essayer de ressembler, n'était pas réellement son père. Il a compris que cet homme lui avait sauvé la vie et celle de sa mère en sacrifiant la sienne ; que son rêve d'enfance, ce rêve de France que ses parents avaient si souvent évoqué en lisant les lettres de Kabic, n'avait pas été interrompu parce qu'il avait rencontré Warda, ou du moins pas comme on le lui avait raconté. Son père avait renoncé à sa propre vie pour en offrir une à un fils que le Ciel avait mis sur sa route mais qui n'était pas de son sang. Ce jour-là, l'amour de Tarek pour son père est devenu incommensurable et il n'a plus eu d'autre obsession que de le lui signifier.

Abraham incline la tête, comme s'il était soulagé d'avoir partagé la dernière pièce du puzzle. *Et après ?*

Comment ça après ? *Pourquoi mon père a-t-il quitté Casa alors ?* Abraham se pose la main droite sur le cœur puis l'embrasse. *Parce qu'il estimait qu'il avait une dette.*

L'adoption est interdite dans l'Islam. En épousant Warda et en recueillant le petit Tarek, mon grand-père avait enfreint la loi et pris un risque immense. Kabic et lui n'avaient pas hésité à remettre en question leur rêve pour changer le destin de Mi Lalla et de son enfant dans un Maroc des années soixante qui était loin d'être celui qui se donne une image moderne aujourd'hui. Tarek savait tout cela et il se sentait redevable. Il a alors décidé d'économiser le moindre sou pour que Khadija et lui puissent entreprendre le voyage auquel son père avait renoncé. Il écrirait à Kabic pour qu'il les aide comme il pourrait. Et ils reviendraient un jour et s'installeraient dans un autre quartier de Casa, loin de Hay Hassani, de Sidi Moumen, de ce passé qui leur collait à la peau. Ils reviendraient et s'offriraient une belle maison. À Californie !

— Et la 2 CV jaune ?

— C'est un pari qu'on avait fait avec ton père. Je lui avais dit que les Facel Vega, les Panhard 24, les Citroën DS, les Alpines sont peut-être des voitures de légende, mais que celle qui deviendrait un mythe pour des générations à venir, ce serait la 2 CV. Je lui avais même confié que je comptais bien en acheter une à la naissance de mon premier fils et la retaper pour qu'il puisse l'avoir à ma mort.

*Tope là*, lui avait répondu mon père, *moi aussi !* Et ils avaient décidé que leurs 2 CV seraient jaune canari, comme les petits serins qu'on trouve partout au Maroc et comme la lumière chaude de Casablanca. *Et tu vois, ça fait trente ans que la mienne est en chantier et je n'ai plus de fils ici pour m'aider à la finir, plus personne à qui la laisser en héritage. Promets-moi que tes frères et toi garderez la vôtre ! Ça m'encouragera à m'y remettre.*

# 25

Hier, ça a fait quarante jours qu'on a enterré mon père. Nous sommes tous descendus en avion. Ali a insisté et payé les billets de tout le monde. J'ai perdu sept kilos depuis la mort de mon père, peut-être huit. Quand j'ai retrouvé Ali à l'aéroport, il me l'a fait remarquer et Foued a dit que c'était bien, qu'on ressemblait de plus en plus à de vrais jumeaux.

Capucine a essayé de m'appeler plusieurs fois, mais je n'ai pas décroché. Elle n'ose pas laisser de message vocal et a renoncé à m'envoyer des textos.

Ma mère a passé les quarante derniers jours à Hay Hassani et s'est rendue sur la tombe de mon père quarante fois. Kabic aussi est resté à Casa et a rempli l'avenir de Mi Lalla d'un nouveau présent.

Ma mère et lui ont tous les deux décidé de revenir vivre ici. Pour Maman, c'est surtout parce que l'office des HLM l'a informée qu'à présent qu'elle était veuve, son appartement devait revenir à une famille. *Ils n'ont pas traîné*, s'est écrié Foued, *et moi je deviens quoi ?* Samira lui a proposé de s'installer avec elle. Foued ne s'est pas fait prier et a mis ça sur le compte du *Mektoub. Comme quoi le destin a parfois du bon*, a-t-il décrété.

L'office des HLM a proposé à Maman de la reloger ailleurs dans les Hauts-de-Seine, à Antony. C'est mignon, Antony, il y a l'aéroport d'Orly juste à côté et on voit passer les avions, mais c'est loin de Clichy. Quand je l'ai prévenue au téléphone, ma mère a dit qu'elle comprenait qu'ils veuillent récupérer son appartement. Elle a aussi dit que, quitte à ne plus jamais voir le garage de la rue de Paris, le petit café d'où mon père lui faisait signe chaque matin après avoir pris sa noisette, la boulangerie où il achetait leur baguette tous les soirs, le restaurant marocain où il l'emmenait de temps à autre même si le tagine aux olives qu'on y servait n'arrivait pas à la cheville de celui de sa femme, ou le parc Roger Salengro où ils délassaient leurs dimanches au milieu des cris des enfants, elle ne voulait pas non plus se demander tous les jours si chaque avion au-dessus de sa tête pourrait la ramener près de lui. Alors autant qu'elle reste à Casablanca. Ici elle retrouverait les gamins qu'ils étaient dans les souvenirs dont sont imprégnées les rues de Hay Hassani, et vieillir entourée de leur jeunesse, c'est ce qu'elle pourrait souhaiter de mieux. Mon père n'avait pas vraiment de retraite. Il avait mis un peu d'argent de côté, pour s'acheter une maison ici, alors ma mère a entrepris de visiter des petites bicoques avec deux chambres d'amis pour que nous puissions lui rendre visite. C'est vrai ce que disait Kabic, le Maroc il vaut mieux le voir en euros ! Ali a dit qu'il paierait à Maman quatre allers-retours par an pour qu'elle puisse voir ses petits-enfants grandir. Maman a dit *mes petits-enfants ?* Bérangère est enceinte. Des jumeaux !

Kabic a laissé son petit appartement à Amine. Il s'est installé dans le même immeuble que Mi Lalla à Casa et ils promènent leur complicité de café en café au milieu des regards désapprobateurs des Marocains qui estiment qu'une femme de son âge n'a rien à faire dans ce genre d'établissement. Mi Lalla s'en fiche bien et il est temps que les temps changent, comme elle dit. Ce que ces censeurs ignorent, c'est que la femme qui est assise à la terrasse et rit avec Kabic comme une gamine en évoquant leur jeunesse, ce n'est pas Mi Lalla. C'est Warda.

Bérangère demande à tout le monde de parler marocain à Jibril, ce qui fait beaucoup rire mes tantes. *Pourquoi tu veux lui parler marocain ? Vous ne vivez pas ici. C'est le français qui compte, et l'anglais !* Foued et Samira ont pris l'avion avec Amine. Kabic a sauté de joie en revoyant son petit-fils, comme si Casa l'avait rajeuni de vingt ans. On ne lui avait pas dit qu'Amine viendrait, pour lui faire la surprise. *Mais qui s'occupe du garage ? J'ai pris quelques jours de congé*, répond Amine, *je peux maintenant que je suis le patron !* Mes frères et moi avons décidé de lui vendre le garage contre le paiement d'un loyer mensuel à ma mère. Une espèce d'emprunt sans intérêts et surtout sans banque ! Comme on peut se le permettre avec la famille. Je n'ai pas eu à affronter Monsieur Morin pour lui demander de nouveaux congés, car les quarante jours sont tombés en plein milieu des vacances de la Toussaint. Madame El Assadi est elle aussi descendue. Le visage de ma mère s'est illuminé en l'apercevant ! Ali voulait utiliser ses miles Air France pour lui offrir le billet, mais elle a refusé en disant qu'il était temps qu'elle rentre au pays. Elle compte s'installer à Hay Hassani d'ici quelques mois, le temps de régler la paperasse.

Avant le dîner, ma tante Imane a été la première à parler de lui. Timidement au début parce que personne n'osait partager le Tarek qu'il ou elle avait connu, puis ma tante a raconté le jour où mon père avait fait passer un entretien à son futur mari pour s'assurer qu'il était digne d'elle. Elle a souri sous les larmes, puis éclaté de rire quand les maris de ses sœurs se sont écriés *nous aussi !* Ma mère dodeline de la tête, quel homme c'était tout de même ! Je remercie en silence mon père de m'avoir fait venir jusqu'ici pour comprendre qui je suis. Non, pas comprendre. Apprendre. Le Français en moi ne comprendra jamais tout à fait les Marocains, mais j'ai maintenant soif de découvrir *mon Maroc* comme il nous le répétait. Je regarde sa photo que Mi Lalla et Maman ont fait tirer en format poster et punaisée au mur du salon. Elle couvre tout un côté de la pièce. Ça m'a fait un choc quand je suis entré. C'est la dernière photo que nous avons de lui. Son sourire lui fait plisser les yeux. Le mien aussi.

Puis les *toulbas*, les chanteurs de Coran, m'ont ramené vers cette terre qui a façonné mon père. Ils se sont installés sur un tapis, ont ouvert leurs paumes vers le ciel et ont entamé un chant de prières. Ils ont prié pour l'âme de mon père, pour que les portes du Paradis s'ouvrent devant elle, que ses péchés soient lavés et que les anges l'accompagnent vers sa dernière demeure. Nous avons tous écouté avec respect et émotion, en levant parfois les yeux vers le portrait sur le mur. Deux larmes se sont fait la course le long des joues d'Ali dont le poing serrait fort les jolis doigts de Bérangère. J'aurais voulu lui murmurer que Papa l'aimait de la même manière qu'il nous aimait Foued et moi, et que la rivalité qu'Ali avait toujours entretenue n'existait pas dans le cœur de notre père. Le chant des *toulbas* s'est modifié pour s'adresser aux vivants. Ils demandaient à Allah de nous apporter la paix et la consolation, de nous accorder la santé et le bonheur et de nous offrir un avenir meilleur que notre passé.

Quand nous sommes allés au cimetière avec les femmes hier dans l'après-midi, nous avons tous cherché la tombe de mon grand-père, mais personne ne se rappelait son emplacement. *Ce sont les vivants qui comptent*, ont murmuré les Marocains alors que les Français, Ali, Bérangère, Foued, Samira, Amine et moi étions choqués qu'on l'ait laissée à l'abandon et négligée au point de ne plus savoir où elle se trouvait. *Elle est sans doute recouverte de nature depuis tout ce temps*, a murmuré Mi Lalla.

Ali et Foued ont lancé un regard désapprobateur. Jamais nous ne laisserons la tombe de mon père se faire engloutir sous les ronces comme celle de notre grand-père ! Je sais que je ne peux pas compter sur la famille pour débroussailler régulièrement, même pas ma mère, la Marocaine. Peut-être qu'ils ont raison. Peut-être que mon père aurait envie que la Nature reprenne possession de sa tombe, que le Maroc l'ensevelisse dans l'anonymat d'un coin de cimetière, mais si ce sont les vivants qui comptent, alors je veux pouvoir venir ici, m'asseoir au bord de sa tombe et lui raconter mes histoires comme je le faisais, enfant, avec Kabic.

Ali a insisté pour que nous retournions au cimetière aujourd'hui. Il a une idée et veut que nous y participions tous les trois. Nous voilà de nouveau au milieu de cette jungle de ronces à suivre les pas de notre famille pour la troisième fois, repérant les mégots de Kabic, comme les cailloux du Petit Poucet, jusqu'à la tombe de mon père. *Bon, la tombe de Papa est facile à repérer parce qu'elle est plus large à cause du cercueil en zinc*, a expliqué Ali, *mais il faut qu'on puisse la retrouver quand les feuilles et les épines l'auront recouverte. On peut déjà se fier à ce grand châtaignier pour identifier plus ou moins l'emplacement.* Il a sorti un canif et gravé FAM profondément dans le tronc d'arbre. Foued, Ali, Marwan. *Voilà, il faudra sûrement en remettre un coup tous les ans pour que l'écorce ne le recouvre pas trop vite, mais on reviendra bien une fois par an chacun, non ?*

Puis il a posé un petit sac en plastique sur la tombe de mon père et en a tiré trois échantillons de peinture, une bouteille d'eau et un pinceau. *Qu'est-ce que tu fous ?* a demandé Foued. Ali a fait chut du doigt puis il a ouvert les trois petits pots et les a posés devant lui. Il a trempé le pinceau dans le premier et tracé une longue ligne épaisse à la peinture noire. Il a toujours été doué en dessin. Puis il a rincé le pinceau, l'a trempé dans le deuxième pot et a ajouté quelques feuilles vertes. Il a ensuite tendu le pinceau et le pot de peinture orange à Foued qui a accroché trois fruits à la branche d'Ali. Une orange pour nous trois, une pour notre père et une pour notre grand-père. Les couleurs vives ressortaient bien sur la chaux blanche de la tombe. *C'est indélébile !* a précisé Ali. Foued a rincé le pinceau puis me l'a tendu. Ali m'a donné le pot de peinture noire, *à toi, Marwan !*

Alors, à l'ombre de l'oranger de mes frères, mon père et mon grand-père, j'ai écrit CALIFORNIE.

Composition et mise en pages
Nord Compo à Villeneuve-d'Ascq

Imprimé en Espagne par
Liberdúplex
à Sant Llorenç d'Hortons (Barcelone)
en juillet 2020

POCKET – 92, avenue de France – 75013 Paris
S30080/01